Tekst: Robert Trojaborg
Fotos: Robert Trojaborg
Kort: Forlaget Folia
Translation: GB: Ann-Grete Hugger
           D: Jørgen Holst
           I: Lizzi Tvede Rugolo
Tilrettelæggelse: Robert Trojaborg
Distribution: Trojaborgs Forlag
           Industrigrenen 4
           2635 Ishøj Strand
           Danmark
           Tlf. 43 54 58 00

ISBN 87-982399-2-9

Version A

DANMARK

Dannebrog

TROJABORGS FORLAG 1992

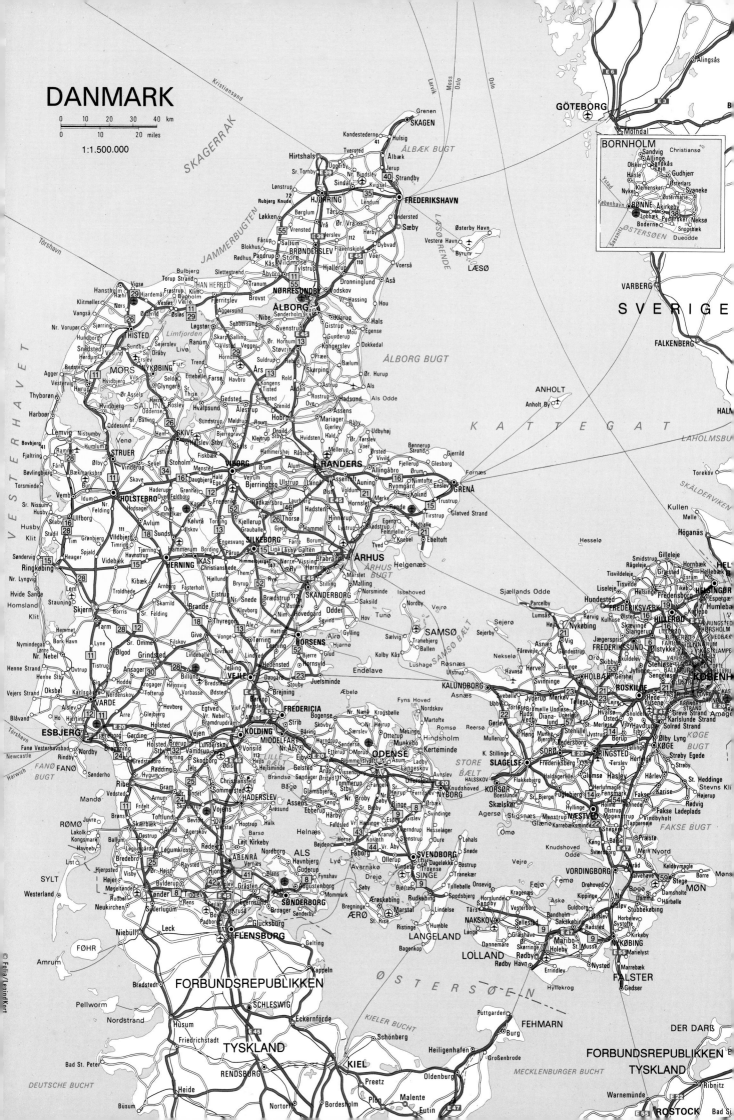

DANMARK

I areal er Danmark kun et lille land med sine 43.069 km², men Danmark er et ørige med over 500 større eller mindre øer, hvoraf de 90' er beboede. Således danner de mange øer en samlet kyststrækning på ca. 7500 km med over tusind km dejlig badestrand med klitter og hvidt sand. Det typiske danske landskab veksler mellem blide, runde bakker med små skove og frodigt agerland, hvor mindre søer og åer opdeler landskabet på deres vej ud mod fjorde og hav. Hist og her ligger små idylliske landsbyer spredt med stråtækte huse, gadekær og kirke. Ud til kysten ligger de fleste større byer, købstæder, med færgeforbindelse rundt til de større øer og udlandet. Ikke mindre end ca. 70 færgeruter holder danskerne sammen året rundt.

Af Danmarks 5,2 mill. indbyggere er de 4 mill. samlet i byerne. Alene i København med forstæder bor ca. 1,5 mill. Afstandene i Danmark er små. Fra nord til syd har landet en længde på ca. 360 km og fra øst til vest ca. 400 km. Ingen steder er man på noget tidspunkt længere fra havet end 50 km.

Med til Danmark hører også den lille øgruppe Færøerne nord for Skotland og verdens største ø Grønland langt mod nord. Begge har deres eget parlament, men hører under det danske kongerige. Kun få mennesker er bosiddende heroppe, hvor naturen er ganske enestående.

Danmark har fra gammel tid været et landsbrugsland med en ganske betydelig handels- og fiskeriflåde, men gennem de sidste årtier har industrien tilkæmpet sig større magt og udgør i dag hovedindtægtskilden. Den danske undergrund er fattig på råstoffer og derfor præges landskabet kun i ringe grad af industrien, der fortrinsvis består af mindre virksomheder beskæftiget med forarbejdning og videreudvikling af en række produkter. Alligevel er Danmark næsten selvforsynet med olie og naturgas hentet op fra havbunden langt ude i Nordsøen.

Danmark har været befolket siden isen trak sig tilbage for knap 15.000 år siden. De første mennesker var omstrejfende jægere og allerede for 5000 år siden begyndte danskerne at dyrke jorden. Senere fulgte bronzealderens storhedstid, hvilket talrige fund og udgravninger i gravhøje vidner om. Smykker og våben blev udfærdiget med den fineste håndværksmæssige kunnen. Omkring år 700 e. Kr. begyndte en ny epoke, Vikingetiden. Danskerne blev snart et berygtet folkefærd kendt for deres plyndringstogter langs Europas kyster. På et tidspunkt erobrede vikingerne både England, Irland og Normandiet i Frankrig. Under et plyndringstogt til Estland i 1219 fik Danmark sit rød-hvide flag Dannebrog, der ifølge sagnet dalede ned fra himlen midt under kampen med esterne.

Danmark er et kongerige, endda verdens ældste. Gennem snart 1100 år har landet været regeret af 54 monarker regnet fra Gorm den Gamle, der døde omkring 940. Siden 1972 har Hendes Majestæt Dronning Margrethe II været regent i Danmark.

Danskernes yndlingssamtaleemne har altid været vejret, som skifter fra den ene dag til den anden. Med havet som nabo dominerer kystklimaet året rundt. De fremherskende vestlige vinde sender mild luft fra Atlanterhavet ind over øriget og giver behagelige tempererede somre med dagtemperaturer på 18-25°C. Hele vinteren ligger temperaturen som regel tæt på frysepunktet, hvor det kan sne den ene dag og regne den næste. Med års mellemrum optræder isvinteren dog med østlige vinde og streng frost, som kan tillukke de danske farvande med is i flere måneder. I maj springer skoven atter ud og Danmark viser igen sit milde væsen med mange solskinstimer og grønne marker. Jo, Danmark er et dejligt land.

With its 43,069 square kilometres Denmark is a small country, but Denmark is an island kingdom with more than 500 larger or smaller islands of which 90 are inhabited. Thus the many islands make a total stretch of coast of about 7,500 kilometres with over one thousand kilometres of lovely beach with dunes and white sand. The characteristic Danish landscape alternates between soft, wooded hillocks and fertile arable land with small lakes and streams meandering through the country on their way towards the inlets and the sea. Idyllic villages with thatched cottages, village ponds and churches are scattered throughout the countryside. Most of the major provincial towns are situated on the coast, and from these there are ferry services to the big islands and to foreign countries. No less than 70-odd ferry services keep the Danes together all the year round.

Of Denmark's 5.2 million inhabitants 4 million live in towns. 1.5 million people live in Copenhagen and its suburbs. Distances are short in Denmark. The country measures about 360 kilometres from north to south and about 400 kilometres from east to west. At no time are you more than 50 kilometres from the sea.

The small group of islands north of Scotland called the Faroe Islands and the biggest island in the world, Greenland, also belong to Denmark. Both have their own legislature but belong under the kingdom of Denmark. The scenery is unique but few people live up there.

From olden times Denmark has been an agricultural country with quite an important merchant navy as well as an important fishing fleet, but in recent decades industry has become more powerful and to-day it is the most important source of income. Denmark is lacking in raw materials, so the landscape is only slightly marked by the industry, which mainly consists of small factories which manufacture and develop various products. Still Denmark is almost self-sufficient in oil and natural gas which is derived from the bottom of the North Sea.

Denmark has been populated since the ice receded alomst 15,000 years ago. The first people were vagrant hunters, but the Danes began to cultivate the soil as early as 5,000 years ago. Later followed the golden Bronze Age which numerous finds and excavations bear witness to. The workmanship of the jewellery and the weapons were highly skilled. A new era, the Viking Age, began about 700 A.D. The Danes soon became a notorious race known for its raids along the shores of Europe. At one time the Vikings occupied England, as well as Ireland and Normandy in France. Denmark acquired its red and white flag, the Dannebrog, during a raid upon Estonia in 1219, tradition says it fell from the sky in the midst of the battle against the Estonians.

Denmark is a kingdom, the oldest kingdom in the world at that. For almost 1,100 years from the time of "Gorm den Gamle" who died about 940 the kingdom has been ruled by 54 monarchs. Her Majesty Queen Margrethe II has been the sovereign of Denmark since 1972.

The Danes' favourite subject has always been the weather, which changes from day to day. The sea being the neighbour the coastal climate dominates all the year round. The prevailing west winds blow mild air from the Atlantic across the country and make the summers pleasant with day temperatures between 18 and 25 degrees Centigrade. In the winter snow and rain alternate from day to day as the temperature is usually about freezing point. From time to time east winds may bring hard winters with severe frosts that close the Danish waters for months. In May the trees burst into life and Denmark is once again a pleasant, sunny, green country. Denmark is indeed a wonderful country.

Dänemark hat eine Fläche von 43.069 km^2 und ist nur ein kleines Land. Dafür besitzt Dänemark über 500 größere oder kleinere Inseln, wovon 90 bewohnt sind. Auf diese Weise machen die vielen Inseln eine gesamte Küstenstrecke von etwa 7500 km aus. Über 1000 km sind herrliche Badestrände mit Dünen und weißem Seesand. Die typische dänische Landschaft ist ein Wechsel zwischen milden runden Höhen mit kleinen Wäldern und üppigem Ackerland, wo kleine Seen und Flüßchen auf den Weg zum Fjord und Meer die Landschaft aufteilen. Hie und da liegen kleine idyllische Dörfer mit strohgedeckten Häusern, einem Dorfteich und einer Kirche. Nach der Küste zu befinden sich die größten Städte mit Fährverkehr zu den größeren Inseln und ins Ausland. Etwa 70 Fährverbindungen halten das ganze Jahr hindurch die Dänen zusammen.

Die Einwohnerzahl Dänemarks beträgt 5,2 Millionen. Davon wohnen 4 Millionen in den Städten. In Kopenhagen mit Vorstädten wohnen allein 1,5 Millionen Menschen. Die Abstände in Dänemark sind klein. Von Norden nach Süden hat das Land eine Länge von etwa 360 km, und von Osten nach Westen etwa 400 km. Nirgendwo ist man vom Meer weiter weg als 50 km.

Zu Dänemark gehören auch die kleine Inselgruppe nördlich von Schottland, die Färöer, und die größte Insel der Welt Grönland weit gegen Norden. Beide haben ihr eigenes Parlament, gehören zum dänischen Königsreich. Nur wenige Menschen sind hier wohnhaft, wo die Natur ganz eigenartig ist.

Von altersher ist Dänemark ein Agrarland mit einer ganz bedeutenden Handels- und Fischerflotte. Seit den letzten Jahrzehnten erkämpft sich die Industrie größere Macht und macht heute die Haupteinnahmequelle aus. Der dänische Untergrund ist arm an Rohstoffen, und deshalb wird die Landschaft nur in geringem Maße von der Industrie geprägt, die hauptsächlich aus kleineren Betrieben besteht, die damit beschäftigt sind, allerlei Produkte zu verarbeiten und weiterzuentwickeln. Dennoch ist Dänemark mit Öl und Erdgas aus dem Meeresgrund der Nordsee fast selbstversorgt.

Seitdem sich das Eis vor etwa 15.000 Jahren zurückzog, ist Dänemark bevölkert. Die ersten Menschen waren umherstreifende Jäger, und schon vor 5000 Jahren fingen die Dänen an, das Land zu bebauen. Später folgte die große Epoche der Bronzezeit, was zahlreiche Funde und Grabungen von Hügelgräbern bezeugen. Geschmeide und Waffen wurden mit der feinsten handwerklichen Kunstfertigkeit hergestellt. Etwa um Jahr 700 n. Chr. begann eine neue Epoche, die Wikingerzeit. Die Dänen wurden bald eine verrufene Völkerschaft, die an den Küsten Europas entlang wegen Raubzüge bekannt war.

Zu dieser Zelt eroberten die Wikinger sowohl England, Irland als die Normandie in Frankreich. Während eines Raubzuges 1219 in Estland bekam Dänemark seine rot-weiße Flagge, »Dannebrog«, die der Sage nach in der Hitze des Gefechts mit den Esten vom Himmel herabgeschwebt sei.

Dänemark ist ein Königsreich, sogar das älteste der Welt. 54 Monarchen regieren seit 1100 Jahren das Land, wenn wir mit Gorm dem Alten anfangen, der etwa 940 starb. Seit 1972 ist Ihre Majestät Königin Margrethe 2. die Regentin des Landes.

Der beliebste Unterhaltungsstoff der Dänen ist immer das Wetter gewesen, das sich von einem Tag auf den andern ändert. Wegen des benachbarten Meeres herrscht das ganze Jahr hindurch das Küstenklima vor. Die vorwiegenden westlichen Winde schicken aus dem Atlantik dem Inselreich milde Luft und verursachen damit angenehme, gemäßigte Sommerperioden, mit einer Tagestemperatur von 18-25°C. Den ganzen Winter hindurch befindet sich die Temperatur dicht am Gefrierpunkt, wo es an einem Tag schneit und am nächsten regnet. Mit jahrelangen Pausen erscheint der Eiswinter aber mit östlichen Winden und strenger Kälte. Dieses bewirkt, daß die dänischen Gewässer monatelang zugefroren sind. Im Mai schlägt der Wald wieder aus, und Dänemark beweist noch einmal sein mildes Wesen mit vielem Sonnenschein und grünen Feldern. Ja, Dänemark ist ein herrliches Land.

La Danimarca è un paese piccolo, infatti occupa soltanto 43.069 km^2, tuttavia la Danimarca conta più di 500 grandi e piccole isole, di cui 90 sono abitate. Pertanto includendo le tante isole il litorale è di circa 7500 km e offre bellissime spiagge con bianche dune sabbiose. Il tipico paesaggio danese varia fra dolci colline arrotondate con boschetti e fertili campi, dove laghetti e ruscelli si alternano lungo il percorso verso fiordi e mare. Qua e là si trovano paesini idillici con casette con i tetti di paglia e stagni e chiese.

Lungo la costa si trova la maggior parte delle cittadine con traghetti interni che portano le auto da un'isola all'altra e traghetti per l'estero. Ci sono ben 70 linee di traghetti che collegano tutto l'anno le varie parti del paese.

La Danimarca ha 5,2 milioni di abitanti di cui 4 milioni abitano nelle città. Nella solo Copenaghen e sobborghi abitano circa 1,5 milioni di persone. Le distanze in Danimarca sono brevi. La lunghezza del paese dal nord al sud è di circa 360 km e dall'est all'overst è di ca. 400 km. Nessuna parte del paese dista più di 50 km dal mare.

Anche le Isole Faroe al nord della Scozia, e la Groenlandia, la più grande isola del mondo, fanno parte del regno.

I popoli di queste isole hanno il loro parlamento pur appartenendo al regno di Danimarca. Queste isole, che hanno un magnifico paesaggio, sono soltanto abitate da poche persone.

La Danimarca è da tanti anni un paese agricolo con una notevole flotta mercantile e peschericcia, ma negli ultimi decenni l'industria ha assunto maggiore importanza e costituisce oggi la principale sorgente di reddito. Il sottosuolo non è ricco di materie prime e pertanto il paesaggio non è dominato dalle industrie che invece consistono prevalentemente di piccole aziende di produzione e manufattura. Nonostante questo, la Danimarca è quasi autosufficiente per il fabbisogno di petrolio e metano che sono estratti dal Mare del Nord.

La Danimarca è abitata da quando il ghiaccio si ritirò 15000 anni fa. I primi uomini furono cacciatori nomadi e già 5000 anni fa i danesi cominciarono a coltivare la terra. Dopo cominciò la grande epoca dell'età del bronzo di cui sono testimoni numerosi reperti trovati nei tumoli. Ornamenti e armi venivano lavorati con una accurata abilità artigiana. Circa 700 anni dopo Cristo cominciò una nuova epoca, l'era vichinga. Ben presto la Danimarca diventò un popolo di cattiva fama a causa delle loro scorrerie lungo le coste europee. A un certo punto i vichinghi avevano conquistato sia l'Inghilterra, l'Irlanda e la Normandia. Durante una scorreria in Estonia nel 1219 la Danimarca ricevette la sua bandiera bianco-rossa, e la storia vuole che sia calata dal cielo durante una battaglia contro gli estoni.

La Danimarca è una monarchia, e per giunta la più antica del mondo. Da quasi 1100 anni il paese ha avuto 54 monarchi; il primo fu Gorm il Vecchio (Gorm den Gamle) morto nel 940. Dal 1972 regna la Regina Margherita Seconda.

L'argomento preferito degli danesi è sempre stato il tempo, che varia molto da un giorno all'altro. Avendo come vicino di casa il mare, il clima costiero domina tutto l'anno. I prevalenti venti occidentali mandano sul regno insulare un'aria mite dal mare atlantico che dà estati piacevolmente temperate con temperature medie di 18-25°C. Tutto l'inverno la temperatura si aggira attorno allo zero e può nevicare un giorno e il giorno successivo può piovere. A intervalli di anni l'inverno rigido si fa sentire con venti dall'est e forte gelo che alle volte per mesi gelano le acque danesi. In maggio spuntano di nuovo le foglie nei boschi e la Danimarca mostra il suo lato migliore con tante ore di sole e campi verdi. Davvero la Danimarca è un bel paese.

Velkommen til Danmark

NORDJYLLAND

Landet nord for Limfjorden er i høj grad en ø med kontraster. Hele vestkysten op til Danmarks nordspids Skagen domineres af vældige sandklitter og dejlige, brede sandstrande, som er et yndet feriemål for mange turister. Naturen herude langs Vesterhavet er på én gang både storslået og barsk. Kun nåleskove som værn mod tidligere tiders sandflugt byder på læ for vestenvinden, og alle fritstående træer og buske hælder mod øst.

Mod øst og syd derimod møder man et blidt, bakket fjordlandskab med frodige marker og løvskov. I den østlige del strækker Jyske Ås sig over 25 km gennem landskabet og danner på afstand en karakteristisk forhøjning, der i Dronninglund Storskov når 136 meter over havet.

Nordjylland er generelt tyndt befolket og det er da også naturen som er fremherskende i denne del af landet. Skagen har fra gammel tid været kendt for sine fine lysforhold og har lokket mange berømte malere til fiskerbyen. Kunstnere som Drachmann, Krøyer og Ancher forstod at udnytte samspillet mellem lyset, naturen og datidens beskedne fiskermiljø til smukke malerier, tegninger samt digte og opnåede snart international anerkendelse.

Den største by på østkysten er Frederikshavn, der med stort skibsværft og færgeforbindelse til Sverige og Norge er en driftig handelsby. Foruden færge- og fiskerihavn er her også én af søværnets betydeligste flådestationer.

Ved Limfjorden ligger Danmarks 4. største by Ålborg, kendt og elsket af turister for sine mange beværtninger, ca. 200 ialt. Specielt Jomfru Ane Gade er helt domineret af hyggelige beværtninger. Byen byder også på mange andre seværdigheder. Jens Bangs Stenhus fra 1600-tallet anses for Nordens fornemste borgerhus fra renæssancetiden, og domkirken Skt. Rudolfi er en smuk oplevelse såvel udvendig som indvendig med dens righoldige inventar.

Midt ude i Kattegat ligger naturøen Læsø, der er kendt for sine gamle huse med tage af tang. Taget på Hjemstavnsgården er nogle steder næsten 1,50 meter tykt.

The country north of the Limfjord is indeed an island of contrasts. The whole west coast up to the northern point of Denmark, Skagen, is overlooked by enormous dunes and lovely, broad beaches which are popular holiday resorts for the many tourists. The scenery along the North Sea is both magnificient and rough. Trees and bushes slant east, and only coniferous forests, planted as a safeguard against sand drifts, give shelter from the west wind.

East and south on the other hand the scenery is gentle and hilly with inlets, fertile fields, and deciduous forests. Jyske Aas covers 25 kilometres of the landscape and seen from a distance it forms a characteristic rise which is 136 metres above sea level in Dronninglund Storskov. Northern Jutland is generally sparsely populated, and it is indeed nature which is predominant in this part of the country. From olden time Skagen has been famous for its fine light and has attracted many famous painters. Artists such as Drachmann, Kroeyer, and Ancher knew how to use the light, the scenery, and the lives of simple fishermen in their paintings, drawings, and poems and soon achieved international fame.

Frederikshavn is the biggest town on the east coast. It is an active commercial town with a big shipyard and ferry services to Norway and Sweden. Besides being a ferry- and a fishing port it is also an important naval base.

Aalborg, the fourth biggest town in Denmark, on the Limfjord is known and loved for its many pubs, about 200 in all. Jomfru Ane Gade in particular is crammed with attractive pubs. The town offers many other sights. Jens Bangs Stenhus from the 17th century is regarded as the finest Renaissance house in Scandinavia, and the beautiful cathedral of Skt. Budolfi is richly furnished.

In the middle of the Kattegat lies the nature reserve of Laesoe, which is famous for its seaweed roofs. The roof of Hjemstavnsgaarden is almost 1.50 metres thick in places.

Das Land nördlich des Limfjords ist im hohen Grade eine Insel der Gegensätze. Die ganze Westküste bis zur nördlichsten Spitze Dänemarks, Skagen, wird von gewaltigen Sanddünen und herrlichen breiten Sandstränden beherrscht, die ein beliebtes Urlaubsziel vieler Touristen sind. Die Natur an der Nordsee ist zugleich sowohl erhaben als rauh. Nur Nadelwald als Schutz gegen das Sandtreiben der Vergangenheit schirmt gegen den Westwind ab, und alle alleinstehenden Bäume und Büsche stehen schräg nach Osten.

Gegen Norden und Osten dagegen sieht man ein mildes hügeliges Fjordgelände mit üppigen Feldern und Laubwald. Im östlichsten Teil erstreckt sich der jütländische Landrücken über 25 km durch die Landschaft und bildet von weitem eine charakteristische Erhebung, die in Dronninglund Storskov eine Höhe von 136 Metern über dem Meeresspiegel hat.

Nordjütland ist im allgemeinen schwach bevölkert, und in diesem Teil des Landes ist aber die Natur auch vorherrschend. Von altersher ist Skagen durch die feine Lichtwirkung der Sonne wohlbekannt, was viele berühmte Maler zum Fischerdorf heranlockte. Künstler wie Drachmann, Krøyer und Ancher verstanden im alten Fischerort, das Zusammenwirken des Lichtes und der Natur zu nutzen. Und damit entstanden schöne Gemälde, Zeichnungen und Gedichte, die bald internationale Anerkennung gewannen.

Die größte Stadt der Ostküste ist Frederikshavn, das mit einer großen Werft samt Fährverkehr nach Schweden und Norwegen eine tätige Handelsstadt ist. Außer dem Fähr- und Fischerihafen gibt es auch hier eine der bedeutendsten Flottenstationen der Marine.

Am Limfjord gelegen die 4. größte Stadt Dänemarks, Ålborg. Bekannt und beliebt unter Touristen wegen seiner vielen Wirtshäuser, etwa 200. Besonders die Jomfru Ane Gade ist ganz von gemütlichen Schenken dominiert. Die Stadt zeigt viele andere Sehenswürdigkeiten vor. Jens Bangs Steinhaus aus dem 17. Jahrhundert wird für das vornehmste Renaissance-Bürgerhaus Skandinaviens gehalten, und der Dom Skt. Budolfi Kirche ist sowohl von außen als von innen mit ihrem reichen Inventar ein schönes Erlebnis.

Mitten im Kattegat befindet sich die Naturinsel Læsø, die durch ihre alten Häuser mit Tangdächern bekannt ist. Das Dach auf »Hjemstavnsgården« ist stellenweise fast 1,50 m dick.

La terra a nord del Limfjorden è in verità un'isola con contrasti. Lungo tutta la costa occidentale fino a Skagen, la punta settentrionale, prevalgono le dune sabbiose e le meravigliose larghe spiagge che sono la meta delle ferie per tanti turisti. Il paesaggio qui lungo il Mare del Nord è contemporaneamente grandioso e rude. Ci sono solo i boschi di conifere che difendono la terra contro il vento dell'est, e tutti gli alberi isolati sono inclinati verso l'est.

All'est e al sud invece si incontra un paesaggio di fiordi miti e ondulato con fertili campi e boschi con alberi frondosi. Nella parte orientale si allunga su 25 km la cresta dello Jutland (Jyske Ås) e crea in distanza un caratteristico altopiano, che nel Bosco di Dronninglund (Dronninglund Storskov) arriva a 136 metri sul livello del mare.

In generale lo Jutland settentrionale è scarsamente popolato e ciò che prevale in questa parte del paese è la natura. Skagen è da tempi antichi famosa per le ottime condizioni di luce che hanno attirato tantissimi pittori alla cittadina di pescatori. Artisti quali Drachmann, Krøyer e Ancher hanno saputo sfruttare l'insieme di luce, natura e il modesto ambiente peschereccio per creare bellissimi quadri, disegni e poesie che ben presto li hanno portato alla fama internazionale.

La città più grande della costa orientale è Frederikshavn che con un grande cantiere e traghetti collegati con la Svezia e la Norvegia costituisce una energica città commerciale. Oltre al porto c'è anche una dei più importanti porti militari danesi.

Presso il Limfjorden è situata la quarta città più grande della Danimarca, Ålborg, famosa per le tante trattorie, in tutto circa 200. Particolarmente la via Jomfru Ane Gade è piena di accoglienti trattorie. Ci sono anche tante cose da visitare. L'edificio di Jens Bang del 1600 è considerato la più bella casa signorile del Rinascimento che esista in Scandinavia, e il duomo Skt. Budolfi è bellissimo sia esternamente che internamente con un ricco arredamento. In mezzo al Kattegat si trova l'incontaminata isola di Læsø, conosciuta per le antiche case con tetti di alghe. Il tetto della fattoria Hjemstavnsgården ha in alcune parti spessori di quasi 1,50 m.

Skagen △

▽ Stokroser, Ska[

Grenen, Skagen △ ▽

12

efyr, Skagen △

▽ Skagen Havn

△ Den tilsandede kirke, Skagen

13

Rubjerg Knude △

Løkken △ ▽

△ *Hirtshals*

14

dsyssel Historiske Museum, Hjørring △

Sct. Catharina Kirke, Hjørring ▽   △ Børglum Kloster, Løkken

△ ▽ Frederiksh

△ Vesterø Kirke, Læsø

mstavnsgården, Læsø △   ▽ Færge Frederikshavn/Göteborg   △ Frederikshavn

△ ▽ *Sa*

dholm Høje, Nørresundby △

▽ Voergård, Flauenskjold

19

△ Klitmøl.

Ålborg △ ▽

△ Vorup

20

sperhus Blomsterpark, Mors △

▽ Hanklit, Mors

21

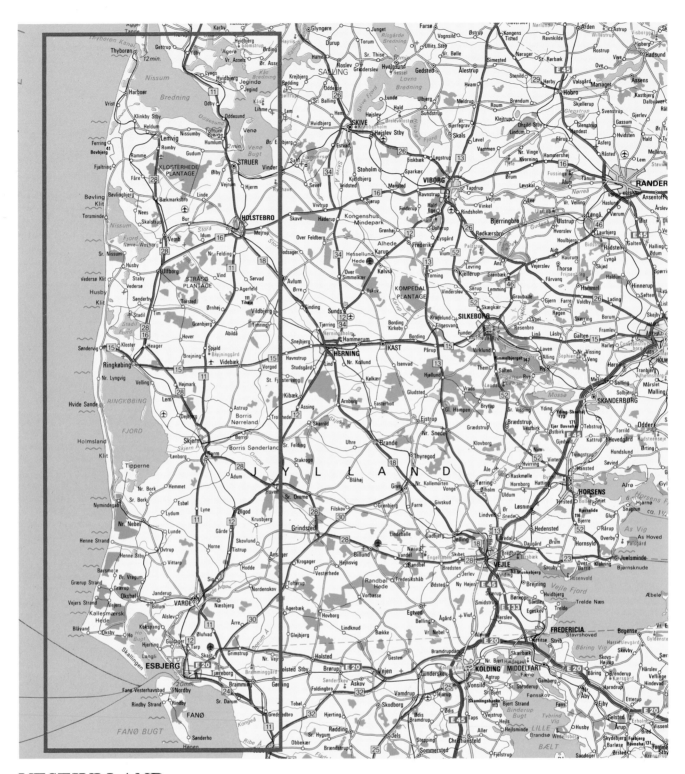

VESTJYLLAND

Med sin på én gang voldsomme og blide natur taler netop Danmarks vestkyst til mange turisters hjerter. Om sommeren skifter vejret herude tæt på Vesterhavet mellem sol og skyer med kølig havgus, der i morgen- og aftentimerne kan brede sin hvide kappe ud over det storslåede klitlandskab med lynghede og nåleskov. De fleste kender kun den jyske vestkyst fra sommerens oplevelser på de hvide sandstrande, når turistsæsonen lokker ferieglade og badelystne familier langvejs fra. Men efterårets og vinterens storme forvandler hurtigt Vestjylland til en øde egn, hvor man bedre fornemmer de store afstande mellem gårde og landsbyer.

Gennem tiderne har befolkningen måttet acceptere at leve med havet som nabo. Det var en ulig kamp mod naturens kræfter, hvor kraftige storme jævnligt tvang vandet langt ind over land og forvandlede de sparsomme agre til ufrugtbart land. Således har kysten ofte ændret karakter, og flere steder blev der skabt lavvandede fjorde, som i dag hører til Danmarks største

naturområder med et enestående fugleliv hele året rundt.

Kun få steder brydes naturen af nogle hyggelige fiskerbyer, hvor duften af tjære og tang forenes med lyden af mågeskrig og lyseblå fiskekuttere, der dagligt lander fisk fra Nordsøens fiskerbanker.

Vestjyllands største by Esbjerg er en ung og dynamisk industriby med omfattende containertrafik og færgeforbindelse til England, Norge og Færøerne. Den store familieoplevelse er byens Fiskeri- og Søfartsmuseum med det tilhørende sælarium, et stort bassinanlæg med et antal sæler, der kan iagttages både fra oven og fra vinduer i bassinets ene side.

Længere mod syd ligger Danmarks ældste by Ribe, hvis historie kan føres tilbage til 700-tallet. Her er det som om tiden er stået stille, idet byen rummer en særlig købstadsidyl med gamle, brolagte gader og smukke velbevarede middelalderlige huse.

The west coast of Denmark appeals to many tourists with its at once rough and gentle scenery. In summer the weather on the coast alternates between sun and cloudy, chilly sea fog, which spreads its white cloak across the magnificient landscape of dunes, moors, and coniferous forests. Most people only know the west coast of Jutland from summer pleasures on the white beaches when the tourist season attracts holiday makers and bathers from afar. But the storms of autumn and winter soon change Western Jutland into a deserted place, where the geat distances between farms and villages are felt.

The population has always had to live with the sea as its neighbour. It was often an unequal struggle against the forces of nature when heavy gales blew and the scattered fields were flooded and turned into infertile land. In this way the coast has changed character several times, and shallow inlets have been formed which today are some of Denmark's biggest nature reserves with a unique bird life all the year round.

The calm of nature is only broken in a few places by charming fishing villages, where the smell of tar and seaweed mingles with the screams of seagulls and the chugging of pale blue fishing vessels, which daily land fish from the fishing banks of the North Sea.

The biggest town of Western Jutland, Esbjerg, is a young, dynamic industrial town with extensive container traffic and ferry services to England, Norway, and the Faroe Islands. The big family treat is the Shipping- and Marine Museum where there is a big tank with a number of seals which may be studied from above and from windows in one side of the tank.

Farther south is Ribe, the oldest town in Denmark, whose history dates back to the 8th century. Here one has the feeling that time has stopped, there is a special provincial atmosphere with old, cobbled streets and charming, well-preserved medieval houses.

Mit ihrer sowohl rauhen als milden Natur wendet sich eben die dänische Westküste an die Herzen vieler Touristen. Im Sommer dicht an der Nordsee ändert sich das Wetter zwischen Sonne und Wolken mit naßkalten Luftströmungen vom Meer, die morgens und abends über die imposante Dünenlandschaft ihren weißen Mantel hängen. Die meisten Leute kennen nur die Westküste durch die Erlebnisse des Sommers an den weißen Sandstränden, wenn die Ferienzeit von fernher badefrohe Familien heranlockt. Die Herbst- und Winterstürme verwandeln aber schnell Westjütland in eine öde und leere Gegend, wo man die großen Abstände zwischen Höfen und Dörfern besser spürt.

Mit der Zeit hat die Bevölkerung akzeptieren müssen, mit dem benachbarten Meer zu leben. Es war ein ungleicher Kampf gegen die Kräfte der Natur, wo kräftige Stürme oft das Meer übers Land zwangen und die spärlichen Äcker in unfruchtbares Land verwandelten. Auf diese Weise hat sich die Küste oft geändert, und an mehreren Orten sind seichte Fjorde entstanden, die heute mit einem einzigartigen Vogelleben zu den größten Naturschutzgebieten Dänemarks gehören.

An einigen Orten macht die Natur heimeligen Fischerdörfern Platz, wo sich der Duft von Tang und Teer vereinigt- mit dem Geräusch von schreienden Möwen und hellblauen Fischkuttern, die täglich aus den Fischbänken der Nordsee Fische anlanden.

Westjütlands größte Stadt Esbjerg ist ein junges und dynamisches Industriezentrum mit großem Containerverkehr und Schiffslinien nach England, Norwegen und zu den Färöern. Das große Familienerlebnis ist das Fischerei- und Seefahrtsmuseum mit u.a. dem Robbarium, einem großen Wasserbecken mit mehreren Seehunden, die man sowohl von oben als durch Fenster von der einen Seite des Beckens beobachten kann.

Weiter südwärts befindet sich Dänemarks älteste Stadt Ribe, deren Geschichte auf das 8. Jahrhundert zurückgeht. Hier ist die Zeit fast stehengeblieben, da die Stadt mit alten Pflasterstraßen und schön erhaltenen, mittelalterlichen Häusern ein kleinstädtisches Idyll ist.

Il paesaggio della costa occidentale ora mite ora violento parla al cuore di tanti turisti. D'estate il tempo qui vicino al Mare del Nord varia fra sole e nuvole con una fresca nebbia marina, che nelle ore mattutine e serali può estendere il suo manto bianco sulle magnifiche dune con brughiera e pineta. La maggior parte della gente conosce soltanto la costa occidentale dello Jutland dalle esperienze estive sulle bianche spiagge quando la stagione turistica attrae da lontano le famiglie che desiderano una vacanza balneare. Comunque le tempeste autunnali e invernali trasformano ben presto lo Jutland in una regione deserta, dove meglio sono evidenti le grandi distanze che ci sono fra le fattorie e i paesi. Da sempre il popolo ha dovuto accettare che il vicino di casa è il mare. È stata una battaglia impari contro le forze della natura, dove le violenti tempeste hanno spesso provocato inondamenti trasformando i pochi campi in terra arida. In questo modo la costa ha cambiato carattere e in più parti sono nati fiordi con acqua bassa, che oggi appartengono alle zone più

grandi di incontaminata natura dove vivono tutto l'anno tantissimi uccelli.

Soltanto in pochi parti il paesaggio viene interrotto da accoglienti cittadine di pescatori, dove l'odore di catrame e alghe si unisce ai gridi del gabbiano e le barche da pesca celesti che trasportano il pesce dai banchi di pesce del Mare del Nord.

La più grande città dello Jutland Occidentale, Esbjerg è una giovane e dinamica città industriale con grande traffico di container e collegamento via traghetto con Inghilterra, Norvegia e Isole Faroe. Una bellissima esperienza per tutta la famiglia è la visita nel museo della pesca e della navigazione, dove si può vedere il grande bacino con le foche che possono essere osservate dall'alto del bacino e da finestre in uno dei fianchi.

Più al sud è situata la più antica città della Danimarca, Ribe, che risale al 700. Qui sembra che il tempo si sia fermato, in quanto prevale un particolare idillio con antiche strade lastricate e bellissime case mediovali ben conservate.

Bovbjerg Fyr ▽   △ Agger Tange

Thyborøn/Agger færgen ▽   △ Sneglehuset, Thyborø

dersø Kirke △

▽ Strandgården, Husby Klit

25

Torvet, Ringkøbing

Hvide Sande △

▽ Nr. Lyngvig Fyr

27

△ ▽ *Nymindeg*

28

vandshuk Fyr ▽

△ Nymindegab

▽ Blåvandshuk

29

Minibyen, Varde △

▽ Fiskerimuseet, Esbj

30

...jerg Museum △　　　　　　　　　▽ Englandsfærgen　　　　　△ Vandtårnet, Esbjerg

Nordby, Fanø ▽　　　　　　　　　　　　　　　▽ Fanøfærgen

Nordby, Fanø △

Sønderho, Fanø △

▽ *Ribe*

Rib

32

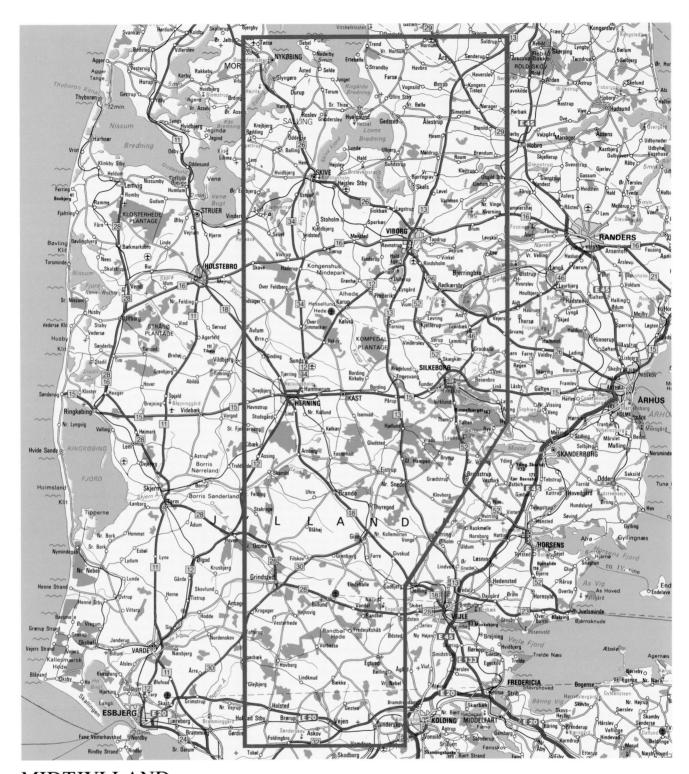

MIDTJYLLAND

Frodige enge og marker, muldrige løvskove og et storslået bakkelandskab med dybe søer karakteriserer det midtjyske højland. Hertil nåede isen, før den atter forsvandt nordpå for ca. 15.000 år siden og skabte således det kuperede terræn, vi kender i dag. Men ikke hele Midtjylland er lige frodig. Hist og her møder man lyngheden, der sammen med de næringsfattige hedesøer efterhånden er blevet et særsyn. Her afløses bøgeskoven overvejende af granskov. I 1700-tallet var en fjerdedel af Jylland dækket af hede, men mange års kamp resulterede endelig i opdyrkning af de fleste lyngarealer.

Vest for Viborg er jorden meget kalkholdig, og gennem tusinde år frem til 1953 gravede man kalken op fra et 35 km langt underjordisk netværk af grubegange.

Silkeborgsøerne er Danmarks største sødistrikt med en pragtfuld kombination af skovklædte bakkedrag og langstrakte blinkende søer, hvor der i sommermånederne er sejlads med gamle turistbåde, bl.a. hjuldamperen »Hjejlen« fra 1861. På toppen af Himmelbjerget 147 meter over havet er rejst et 25 meter højt udsigtstårn, hvorfra der er en ganske enestående udsigt over sølandskabet.

Længere mod syd starter Hærvejen, Danmarks ældste færdselsåre, som strækker sig knap 300 km ned gennem Jylland og Nordtyskland. Her har konger, hærskarer og almuen færdedes siden oldtiden, og den historiske strækning er bevaret fra smal jordvej til grussti eller egentlig asfaltvej.

Legoland, en hel verden af små byggeklodser, er i dag Danmarks største turistattraktion uden for København. Smukke efterligninger af såvel danske som udenlandske bygningsværker pryder arealet i miniatureudgave. Tæt ved ligger Løveparken i Givskud, hvor alverdens dyr kan ses gå frit mellem publikum. Dog skal man tage sig i agt for specielt løverne, som findes i en særlig afdeling omgivet af høje trådhegn.

The central Jutland highland is characterized by fertile meadows and fields, deciduous forests rich in mould, and unique hilly country with deep lakes. Ice covered the landscape about 15,000 thousand years ago and formed the hilly ground we know today before it receded north. Not all of central Jutland is fertile though. There are still areas of moors and bogs in places even though they have become a rare sight. Here beechwood is mainly replaced by spruce forest. In the 18th century one fourth of Jutland was covered by moors, but years of struggle have resulted in most of the moorland being reclaimed.

The soil west of Viborg is very chalky and for thousands of years until 1953 the chalk was dug out of a 35-metre-long subterranean network of galleries.

The "Danish Lake District" is found near Silkeborg, where there is magnificient scenery of wooded uplands and long, twinkling lakes on which old tourist boats like the paddle steamer "Hjejlen", built in 1861, sail in the summer. A 25-metre tower commanding a wide view of the lake district has been raised on top of Himmelbjerget 147 metres above sea level.

Farther south Haervejen, the oldest arterial road in Denmark, stretches about 300 kilometres through Jutland and Northern Germany. Kings, armies, and common people have used this road since prehistoric times, and over the centuries this historical stretch has developed from a narrow dirt track, to gravel path and finally to a proper asphalt highway.

Legoland, a whole world of little toy bricks, is Denmark's biggest tourist attraction outside Copenhagen. Handsome miniature imitations of Danish as well as foreign buildings adorn the area. Near by at Givskud is Loeveparken, where animals from all over the world move freely among the visitors. However, one must beware of the lions, which are enclosed in a special section surrounded by high wire fences.

Üppige Wiesen und Felder, Laubwald reich an Humos und ein erhabenes Hügelland mit tiefen Seen kennzeichnen das mitteljütländische Hochland. Bis hierher kam das Eis, ehe es wieder vor etwa 15.000 Jahren in nördlicher Richtung verschwand und so das kupierte Gelände bildete, das wir heute kennen. Ganz Mitteljütland ist aber nicht gleich üppig. Hier und dort trifft man die Heide, die mit ihren nahrungsarmen Seen allmählich eine Seltenheit geworden ist. Hier wird der Laubwald meistens durch Fichtenwald ersetzt. Im 18. Jahrhundert waren 25 % von Jütland von Heide umfaßt. Jahrelange Bemühungen führten aber schließlich zu dem Ergebnis, daß die meisten Heideflächen urbar gemacht wurden.

Westlich von Viborg ist der Boden sehr kalkhaltig, und 1000 Jahre lang bis 1953 grub man den Kalk von einem 35 km langen Netzwerk von Grubengängen aus.

Die Seen um Silkeborg sind das größte Seegebiet Dänemarks mit einer prachtvollen Vereinigung von einer waldigen Hügellandschaft und länglichen, blitzenden Seen, wo man im Sommer mit den alten Touristenbooten und dem 1861 gebauten Raddampfer »Hjejlen« fahren kann. Der Himmelbjerget 147 meter hoch hat auf dem Gipfel einen 25 Meter hohen Turm, von dem ein einmaliger Blick auf die Seen ist.

Weiter südwärts beginnt der Heerweg, Dänemarks älteste Verkehrsader, die sich etwa 300 km durch Jütland und Norddeutschland hinabzieht. Seit dem Altertum verkehren hier Könige, Heerscharen, Pilger, Ochsentreiber und die einfachen Leute. Die historische Strecke ist gut erhalten und besteht abwechselnd aus schmalen Erdwegen, Kiesfußwegen und Aspahaltstraßen.

Legoland, eine ganze Welt von Bauklötzchen, ist heute die größte touristische Attraktion Dänemarks außerhalb Kopenhagens. Schöne Nachbauten von sowohl dänischen als ausländischen Bauwerken zieren in Miniaturausgabe den Park. In der Nähe befindet sich der Löwenpark in Givskud, wo sich alle möglichen Tiere unter dem Publikum frei bewegen. Zwar muß man sich besonders vor den Löwen hüten, die sich in einer speziellen hoch umzäunten Abteilung befinden.

L'altopiano dello Jutland centrale è caratterizzato da fertili prati e campi, umifere foreste a foglie caduche e un grandioso paesaggio con profondi laghi. 15.000 anni fa il ghiaccio si fermò qui, prima di scomparire verso il Nord e così si creò il terreno accidentato che conosciamo oggi. Comunque non tutto lo Jutland centrale è talmente fertile. Qua e là si incontra la brughiera con i suoi limpidi laghetti, ma sono ormai rari. Qui invece dei boschi con alberi frondiferi ci sono le abetaie. Nel 1700 un quarto dello Jutland era coperto di brughiere, ma con tanti anni di lavoro la maggior parte delle zone ad erica sono ormai terreni coltivati.

A ovest di Viborg il terreno è molto calcareo e per un periodo di mille anni fino al 1953 venne estratto il calcio in un una fitta rete di miniere sotteranee.

I »laghi di Silkeborg« è la più grande concentrazione di laghi della Danimarca e presentano una combinazione di colline boscose e lunghi laghi luminosi, su cui nell'estate si naviga con barche turistiche, fra l'altro il piroscafo a ruote »Hjejlen« del 1861. In cima alla Himmelbjerget (la montagna del cielo) 147 metri sul livello del mare si trova una torre di vedetta, dalla quale c'è un panorama splendido sui laghi.

Più a sud inizia »Hærvejen« (strada dell'esercito), il più antico percorso della Danimarca, che si allunga quasi 300 km attraverso lo Jutland e la Germania del Nord. Qui dal tempo antico hanno viaggiato i re, gli eserciti e il popolo, e il percorso storico è stato conservato come sentiero, strada di ghiaia e strada asfaltata vera e propria.

La Legoland, un mondo in miniatura costruito con pezzettini di Lego rappresenta oggi la più grande attrazione turistica del Paese al infuori di Copenhaghen. Ci sono bellisimi modelli di case danesi e straniere tutte in miniatura. Non lontano da Legoland si trova Givskud, dove si possono vedere animali di tutto il mondo. Bisogna però fare attenzione ai leoni che si trovano in un recinto particolare del parco.

Hjerl Hede, Vinderup △ ▽ ▷

▽ Spøtt

...org Domkirke ▽

△ Rebild Bakker

Bageren er desværre død
- så nu bager han ej brød.

Viborg △

▽ Viborg Domkirke

37

Himmelbjerget, Silkeborg △

△ *Knopsva*

Silkeborg △ ▽ *Hjejlen, Ju*

Brassø, Silkeborg △

▽ Kunstmuseet, Herning

CARL-HENNING PEDERSEN
OG ELSE ALFELTS MUSEUM

41

42

△ ▽ *Løveparken, Givskud*

43

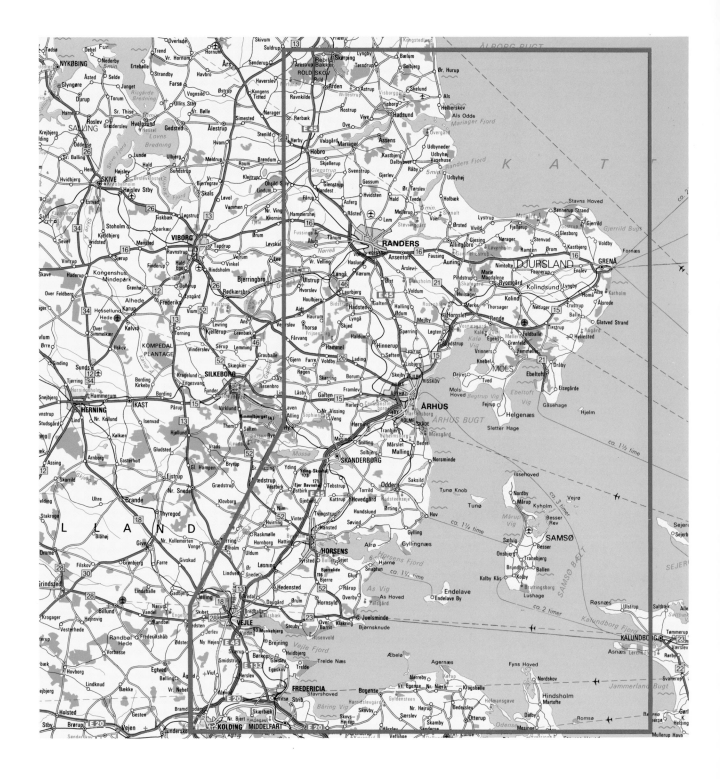

ØSTJYLLAND

Østjylland er landet med de mange fjorde. Langs alle fjordene findes kønt bakkelandskab med spredte skovbevoksninger, der flere steder går helt ned til vandet. Et af Danmarks absolut flotteste landskaber er Mols Bjerge på halvøen Djursland, hvor et enestående bakkelandskab med enebærkrat bugter sig gennem slugter og hulninger ganske uberørt af bebyggelser.

I Østjylland findes Danmarks tre højeste punkter tæt ved hinanden i skovene syd for Skanderborg. Ejer Bavnehøj blev i mange år regnet for det højeste punkt med sine 171 meter over havet, men misundelige bønder fra nabolaget byggede kunstigt en lille bakke på deres Yding Skovhøj, så den nåede 173 meter. Nyere finmålinger konstaterer dog, at Møllehøj er Danmarks højeste, ægte bakketop blot få cm. højere end Ejer Bavnehøj.

Lidt vest for Skanderborg finder man Jyllands største sø Mossø, der på midten er 22 meter dyb. Men hele egnen er rig

på kønne, langstrakte søer, hvor også landets største å Gudenåen løber igennem på sin vej ud mod Randers Fjord og undervejs skaber et eldorado for lystfiskere og kanosejlads.

I bunden af de østjyske fjorde ligger nogle af Jyllands største købstæder med en blomstrende industri og et hyggeligt handelsmiljø med gågader og shoppingcentre til et købelystent publikum. Helt ud til østkysten ligger Danmarks næststørste by Århus med ca. en kvart million indbyggere. Med byens mange seværdigheder falder tiden aldrig lang. Mest imponerende er Den gamle By med sine ca. 60 velbevarede bindingsværkshuse hentet til Århus fra store dele af Jylland gennem nænsom behandling. Museumsbyen giver et perfekt billede af livet i en gammel dansk købstad med arbejdende værksteder og små forretninger, der vidner om en tid, hvor kunstnerisk smag og håndværksmæssig kunnen mødtes på et uovertruffent niveau.

Eastern Jutland has a landscape of many inlets. Along the inlets are lovely hilly country and scattered woods sloping right down to the sea. One of the finest pieces of Danish scenery is Mols Bjerge in the peninsula of Djursland, where magnificient undeveloped juniper covered hilly country winds through ravines and hollows.

The three highest points in Denmark lie close to each other in the woods near Skanderborg. For many years Ejer Bavnehoej, which is 171 metres above sea level, was considered the highest point, but envious farmers in the neighbourhood built a small artificial hill on their Yding Skovhoej, which then came to 173 metres above sea level. However, recent accurate measurings show that Moellehoej is the highest real hilltop only a few centimetres higher than Ejer Bavnehoej.

Jutland's biggest lake, Mossoe, which is 22 metres deep in the middle, is situated a little west of Skanderborg. But the whole neighbourhood is rich in lovely long lakes through which Denmark's biggest stream, Gudenaaen, meanders on its way to Randers Fjord creating an El Dorado for angling and canoeing.

At the bottom of the eastern inlets are some of Jutland's biggest towns with flourishing industry and trade as well as attractive pedestrian streets and shopping centres catering for the spending sprees of the customers. The second largest town in Denmark, Aarhus, with a quarter of a million inhabitants is situated right on the east coast. It is full of sights and never boring. An impressive collection of about 60 well-preserved half-timbered houses known as Den gamle By has been brought to Aarhus from all over Jutland. The museum town gives a perfect picture of life in an old Danish market town with busy workshops and small shops which bear witness to a time when artistic taste and craftsmanship met at an unsurpassed level.

Ostjütland ist das Land der vielen Fjorde. An allen Fjorden entlang sehen wir eine schöne Hügellandschaft, die an einigen Orten bewaldet ist. Eine der schönsten Landschaften Dänemarks ist unbedingt Mols Bjerge auf der Halbinsel Djursland, wo sich eine großartige und unberührte Hügellandschaft mit Wachholdersträuchern durch Schluchten und Vertiefungen schlängelt.

In Östjutland befinden sich die 3 höchsten Anhöhen Dänemarks dicht beisammen in den Wäldern südlich von Skanderborg. Ejer Bavnehøj, 171 Meter, hielt man jahrelang für die höchste Erhebung des Landes. Neidische Bauern in der Nachbarschaft bauten aber künstlich eine kleine Höhe auf Yding Skovhøj, so daß er 173 Meter maß! Neuere Feinmessungen stellen aber fest, daß Møllehøj nur um wenige Zentimeter höher als Ejer Bavnehøj ist und damit Dänemarks höchster, echter Berg.

Ein wenig westlich von Skanderborg findet man den größten See Jütlands, Mossø, der auf der Mitte 22 Meter tief ist. Die Gegend ist aber reich an schönen länglichen Seen. Hier fließt auch der längste dänische Fluß Gudenåen auf den Weg zum Randers Fjord. Gudenåen ist halt ein Dorado der Sportangler und Kanufahrer.

Am untersten Teil der ostjütländischen Fjorde befinden sich einige der größten Städte Jütlands mit einer blühenden Industrie und einer anheimelnden Handelsatmosphäre mit Fußgängerzonen und Shopping-Centern für das kauflustige Publikum.

Unmittelbar an der Ostküste gelegen haben wir Århus, Dänemarks zweitgrößte Stadt mit etwa 250.000 Einwohnern. Wegen der vielen Sehenswürdigkeiten wird die Zeit nie lang. Am imposantesten ist Den gamle By (Die alte Stadt) mit etwa 60 wohlerhaltenen Fachwerkhäusern, dis aus ganz Jütland stammen. Die Museumsstadt vermittelt einen guten Eindruck des Lebens einer alten dänischen Stadt. Hier wird die bürgerliche Kultur, die Geschichte des Handwerks dem Besucher nachgebracht. Alles ein Zeuge der Vergangenheit, wo das Kunstschaffen und handwerkliches Können eben gipfelten.

Lo Jutland orientale è la terra dei tanti fiordi. Lungo tutti i fiordi si vede un bel paesaggio collinare con boschi sparsi che spesso arrivano fino al mare. Uno dei più bei paesaggi danesi è l'insieme delle colline chiamate »Mols Bjerge« sul penisola di Djursland, dove le colline coperte di ginepre serpeggiano attraverso gole e cavità non contaminate da abitazioni. Nello Jutland orientale si trovano i tre punti più alti della Danimarca, uno vicino all'altro, nei boschi a sud di Skanderborg. Ejer Bavnehøj era da tanti anni considerato il punto più alto con i suoi 171 metri sul livello del mare, ma alcuni contadini invidiosi del primato dei loro vicini, hanno costruito una piccola collina artificiale su una altura, detta, Yding Skovhøj di modo che arrivò a 173 metri di altezza.

Misurazioni più precise hanno però rilevato che una terza altura detta Møllehøj è il punto più alto della Danimarca con una cima naturale, ma solo pochi metri più alto dell'Ejer Bavnhøj.

Tutta la regione però è ricca di lunghi e splendidi laghi e il fiume più lungo, il Gudenå, getta nei laghi durante il suo percorso verso il fiordo di Randers che rappresenta un eldorado per i pescatori e il canottaggio.

Al termine dei fiordi dello Jutland orientale sono situate alcune delle città più grandi dello Jutland con un'industria fiorente e un accogliente ambiente commerciale con strade pedonali con centri di vendita per un pubblico in vena di acquisti.

Lungo la costa orientale si trova Århus, la seconda città danese in ordine di grandezza con 250.000 abitanti. La città ha molte attrazioni e a Århus non ci si annoia mai. Ciò che impressiona di più è la »città antica« con circa 60 case con intelaiatura di legno ben conservate che con grande cura sono state portate a Århus da grandi parti dello Jutland. Questa città museo dà un'idea perfetta della vita in una antica città danese; ci sono laboratori e piccoli negozi che testimoniano il livello culturale di un tempo in cui il gusto artistico e la capacità artigianale si fondevano in maniera perfetta.

Gl. Estrup, Randers △

▽ Fyrkat, Hobro

Ebeltoft

Rosenholm Slot △

Skt. Mortens Kirke, Randers △

Randers △　　　　　　　　　　　　　　　▽ Kalø Slotsruin, M

Marselisborg Slot, Århus △

▽ Den gamle By, Århus

49

Den jyske Pigegarde, Århus △

Musikhuset, Århus △

Havnen, Århus △

△ ▽ *Den gamle By, Århus*　　　　　　　　*Engelsholm, Vej*

50

Vejle Mølle △

▽ Børkop Vandmølle, Vejle

Skanderborg Slotskirke △

▽ Landsoldaten, Freder.

Koldinghus △   ▽ Lillebæltsbroen

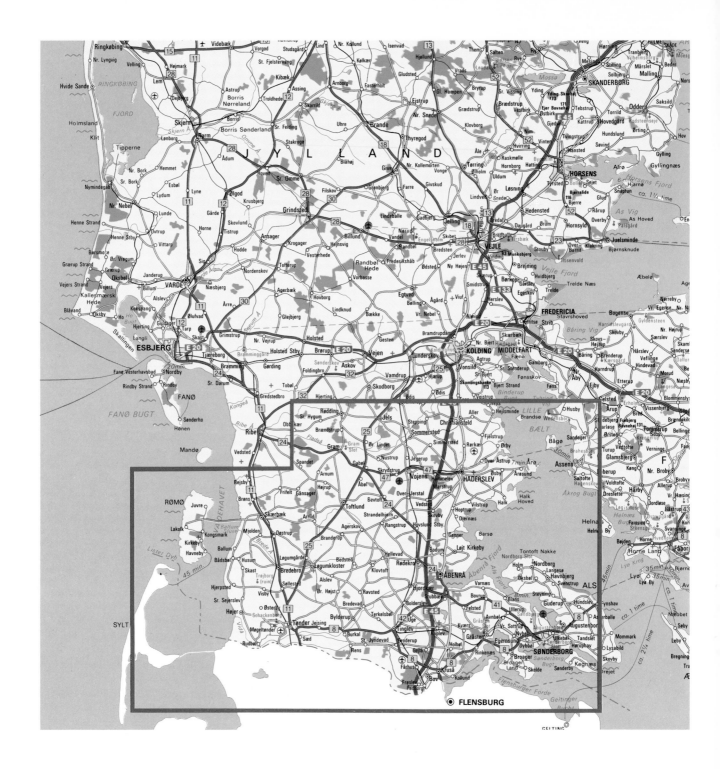

SØNDERJYLLAND

Til trods for at Sønderjylland kun er ca. 60 km bredt rummer netop denne landsdel udprægede kontraster i landskabet. Mod vest flader landskabet efterhånden ud og vældige, grønne engarealer med græssende køer og får dukker frem. Dette marskland ligger under havets overflade og er i dag godt beskyttet af 4 meter høje diger, men gennem århundreder har vinterens storme tvunget havet gennem digerne og forårsaget uoprettelige ødelæggelser.

Mellem fastlandet og selve Vesterhavet ligger det særprægede Vadehav, der med en tidevandsforskel på ca. 1,70 meter danner et helt enestående spisekammer for tusindtallige fugleskarer forår og efterår, når havet blotlægger de føderige mudderbanker to gange i døgnet.

På vadehavsøen Rømø finder man Europas bredeste sandstrand, ca. 1 km bred ved normal vandstand. Her udfolder der sig et lystigt liv i sommermånederne, når badestranden fyldes med turister langvejs fra.

Som en slående kontrast til den flade, lige vestkyst rejser der sig et smukt fjordlandskab mod øst ud til Lille Bælt. Fra Skamlingsbankens 113 meter høje bakketop er der i klart vejr en helt utrolig udsigt mod øst langt ind over Fyns bakketoppe, mod nord helt op til Vejle Fjord og mod sydøst kan man endda se Ærø over 60 km borte.

Tæt ved øen Als ligger den berømte Dybbøl Mølle, som vartegn for mindeparken og det gamle skanseområde. Med sin centrale beliggenhed på toppen af Dybbøl Banke blev møllen passiv tilskuer under krigene mod Tyskland. Her sejrede Danmark under Treårskrigen i 1848 over preuserne, men trods skansebygning i den mellemliggende tid led Danmark i 1864 her et vældigt nederlag, hvorefter den dansk-tyske grænse blev flyttet nordpå til Kongeåen. Først i 1920 fik Sønderjylland lejlighed til at stemme sig tilbage til Danmark. Hele tre gange er møllen blevet genopført efter bombardementer i 1848 og 1864 samt en brand i 1936.

In spite of measuring only about 60 kilometres across Southern Jutland is a province of striking scenic contrasts. The landscape flattens gradually to the west and gives way to vast green marshes and grazing cows and sheep. The marshes are below sea level, today they are well protected by 4-metre-high dikes, but for centuries people lived with the threat that when the winter storms howled the sea might burst the dikes and cause irreparable damage.

Between the mainland and the North Sea the range of the tide is about 1.70 metres. Twice in 24 hours the sea lays bare the mud banks and thus makes the tidal area a unique larder for thousands of birds in spring and autumn.

Being about 1 kilometre wide at normal water level the beach on the tidal island of Roemoe is the widest beach in Europe. It is a jolly place in the summer months when holiday makers from far away flock to the coast.

As a striking contrast to the flat, straight west coast a beautiful landscape of inlets rises towards the east on the coast of the Little Belt. From the top of Skamlingsbanken 113 metres above sea level there is a magnificient view to the east of the hilltops of Funen, to the north of Vejle Fjord, and south-eastwards to the island of Aeroe which may be seen on a clear day more than 60 kilometres away.

The famous mill, Dybboel Moelle, stands close to the island of Als as a landmark of the memorial park and the old entrenchments.

Centrally placed on top of Dybboel Banke the mill passively witnessed the wars with Germany. In 1848 Denmark defeated the Germans in what is known the Three Years' War, but in spite of fieldwork construction Denmark suffered a tremendous defeat in 1864 and the border between Denmark and Germany was moved north to Kongeaaen. Southern Jutland was not allowed to vote itself back to Denmark until 1920. The mill was rebuilt no less than three times, it was bombarded in 1848 and 1864, and in 1936 it caught fire.

Trotzdem Sønderjylland nur etwa 60 km breit ist, finden wir eben in diesem Teil des Landes deutliche Gegensätze, was die Landschaft betrifft. Nach Westen verflacht sich allmählich das Gelände, und gewaltige grüne Weiden mit weidenden Kühen und Schafen erscheinen. Die Marsch liegt unter dem Meeresspiegel und ist heute wegen der 4 Meter hohen Deiche gut geschützt. Seit Jahrhunderten drängen aber die Winterstürme das Meer durch die Deiche mit unheilbaren Schäden zur Folge.

Zwischen dem Festland und der Nordsee gelegen treffen wir das eigenartige Wattenmeer, das mit einem Unterschied der Gezeiten von 1,70 Meter im Frühling und Herbst eine einzigartige Speisekammer zahlloser Vogelscharen ist, wenn das Meer zweimal rund um die Uhr die nahrungsreichen Schlammbänke bloßlegt.

Auf der Wattenmeerinsel Rømø findet man den breitesten Sandstrand Europas, etwa 1 km breit beim Mittelwasser. Im Sommer entfaltet sich hier ein reger Verkehr, wenn der Badestrand voll von Touristen von fernher ist.

Als auffallender Gegensatz zur flachen, ebenen Westküste erhebt sich nach Osten gegen Lille Bælt eine schöne Fjordlandschaft. Von Skamlingsbanken aus, höchste Erhebung in Sønderjylland (113 Meter) ist bei heiterem Wetter eine ganz unglaubliche Aussicht ostwärts über »Die fünischen Alpen«. Gegen Norden läßt sich Vejle Fjord erblicken, und in südöstlicher Richtung kann man sogar Ærø in einem Abstand von 60 km sehen.

Dicht an der Insel Als (Alsen) in Dybbøl (Düppel) haben wir die berühmte Mühle. Sie ist der Mittelpunkt des Nationalparkes und des alten Schanzengebietes. Wegen der zentralen Hochlage auf der Düppeler Erhebung war im letzten Jahrhundert die Mühle passiver Zuschauer während der Kriege gegen Preußen. Im Krieg von 1848-50 besiegte Dänemark die Preußen. Später wurde das Gelände zu einer starken Befestigung mit Schanzen ausgebaut. Immerhin erlitt Dänemark hier eine gewaltige Niederlage im neuen Krieg gegen Preußen und Österreich. Im Frieden von Wien mußte Dänemark Schleswig-Holstein an Preußen abtreten, und die neue Grenze rückte nordwärts zum Flüßchen Kongeåen (Königsau). Erst 1920 ermöglichte ein Abstimmungssieg, daß Nordschleswig wieder dänisch wurde. Die Düppeler Mühle ist dreimal wiederaufgebaut worden. Die beiden ersten Zerstörungen erfolgten wegen der Kriege 1848 und 1864. Letzte Zerstörung durch einen Brand 1936.

Nonostante che lo Jutland meridionale sia solo circa 60 km di larghezza presenta grandi contrasti nel paesaggio. Verso ovest il paesaggio è piatto e pieno di grandi verdi campi con mucche al pascolo. Questa terra paludosa si trova soltanto al livello del mare ed è oggi protetta da dighe alte 4 metri, ma per centinaia di anni il mare ha penetrato le dighe e causato danni irremediabili. Tra la terra ferma e il Mare del Nord abbiamo una vasta zona in cui l'acqua è molto bassa e dove una ampiezza di marea di circa 1,70 metri crea uan »dispensa« unica per migliaia di uccelli in primavera e autunno, quando la marea due volte al giorno mette a nudo i banchi fangosi.

Nell'isola di Rømø si trova la spiaggia più larga della Danimarca, infatti è di circa 1 km di larghezza a livello normale delle acque. Quando arrivano i turisti nei mesi estivi qui c'è tanta vita. In contrasto evidente alla piatta costa occidentale si alza un bellissimo paesaggio di fiordi verso est fino al Piccolo Belt. Dalla collina, Skamlingsbanken, di 113 metri quando la visbilità è buona c'è un magnifico panorama sulle colline della Fionia, verso il nord il panorama permette di vedere fino al fiordo di Vejle e verso sud-est si può perfino vedere l'isola di Ærø, che si trova a 60 km di distanza. Vicino all'isola di Als c'è il famoso Dybbøl Mølle (mulino di Dybbøl), simbolo del parco commemorativo della antica zona fortificata. A causa della posizione centrale sulla cima della collina di Dybbøl il mulino diventò spettatore passivo durante le guerre contro la Germania. In questa zona la Danimarca nel 1848 ha sconfitto i tedeschi durante una guerra durata tre anni, ma nonostante la ulteriore costruzione di ridotti, nel 1864, la Danimarca ha subito una grossa sconfitta dai tedeschi, dopo di chi il confine danogermanico fu spostato a nord del fiume Kongeå.

Solo nel 1920 lo Jutland meridionale ha avuto occasione, tramite un referendum di votare per l'adesione alla Danimarca. Ben tre volte il mulino è stato ricostruito dopo i bombardamenti nel 1848 e un incendio nel 1936.

Ringridning, Als △

Dybbøl Mølle, Sønderborg ▽   △ *Povls Bro, Okseve,*

▽ Åbenrå ▽ Haderslev

▽ Åbenrå

57

Sønderborg Slot △   ▽ *Augustenborg Slot*   *Augustenborg Slotskirke*

Tønder △ ▽

△ Stormflodssøjlen, Hø

5,33 m
4,92 m
4,36 m
4,30 m

geltønder △

▽ Hvide Storke, Brøns

61

Lakolk, Rømø

Klokkelyng (Erica tetralix) △

▽ Kongsmark, Rømø

Røm

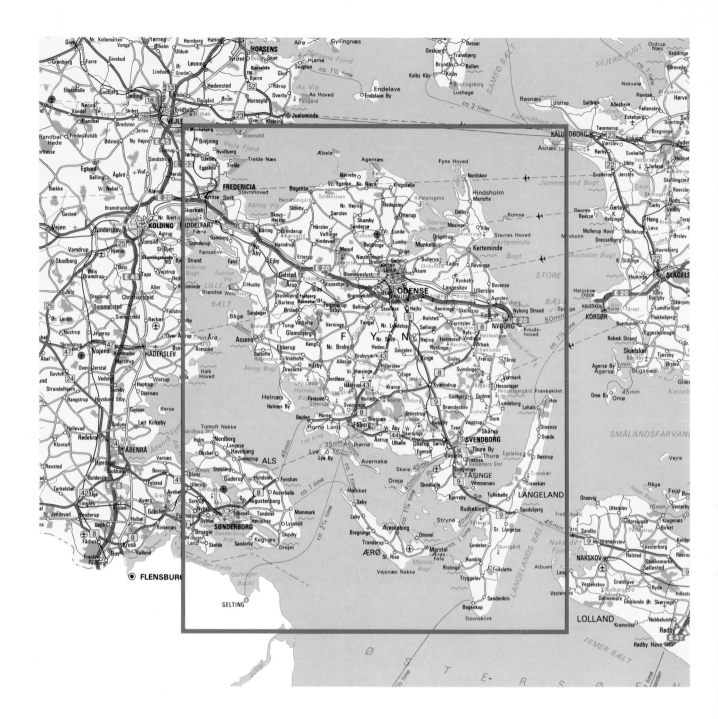

FYN

Godt beskyttet mellem Jylland og Sjælland ligger den smukke, frodige ø Fyn, som eventyrdigteren H. C. Andersen med rette kaldte for »Danmarks Have«. Her ligger slotte og herregårde tættere end noget andet sted i verden, mere end 150 står bevaret hovedsageligt på Sydfyn. Til hvert af disse bygningsværker hører smukke parker, gamle alléer, voldgrave med åkander og et antal stengærder, der bugter sig ud over de vældige, tilstødende marker.

Ad små snoede veje langt fra alfarvej dukker talrige, ældre bindingsværkshuse frem i kønne røde, hvide eller gule farver og pryder de mange landsbyer rundt om på Fyn. Det meste af Syd- og Vestfyn er præget af et herligt bakkelandskab med små skove og vandmøller. Fra Fyns højeste punkt Frøbjerg Bavnehøj 134 meter over havet er der storslået udsigt over hele Lille Bælt og langt ind i Sønderjylland.

Mest imponerende og helt unik blandt de fynske herregårde er Egeskov Slot, som regnes blandt Europas bedst bevarede vandborge og skulle efter sigende være bygget på en hel skov af egetræsstammer i 1554. Dette særprægede og dekorative slot taler utvivlsomt til ens fantasi, som ingen anden dansk herre-

gårdsbygning. Med til slottet hører også et veteranmuseum med biler, motorcykler, hestevogne og fly. Den tilhørende park er en oplevelse i sig selv med mange smukke havetyper og en helt enestående hæklabyrint.

Danmarks trediestørste by Odense har mange seværdigheder at byde på, men mest berømt og af international klasse er kvarteret omkring H. C. Andersens barndomshjem, hvor turister fra hele verden samles omkring eventyrdigterens museum. Selve kvarteret har været underkastet en gennemgribende sanering, hvor de små lave huse er blevet restaureret og andre er blevet flyttet hertil og rekonstrueret. Således er miljøet forsøgt gendannet som på H. C. Andersens tid, men indvendigt er de eftertragtede huse totalt moderniserede.

Det Sydfynske Øhav er et stykke natur helt uden sidestykke til resten af Danmark og er hver sommer et eldorado for sejlglade turister. Den gamle by Ærøskøbing på Ærø kan med rette kaldes Danmarks hyggeby nr. 1 med et utal af lave, velbevarede huse i et kroget og oprindeligt gademiljø, som næsten står helt uforandret. I denne afkrog af Danmark, er det som at tiden har stået stille siden 1700-tallet.

Beautiful, fertile Funen rightly named "The Garden of Denmark" by fairy-tale writer Hans Christian Andersen lies well protected between Jutland and Zealand. Castles and manor houses stand closer here than anywhere else in the world, more than 150 have been preserved on Southern Funen mainly. They are all surrounded by beautiful parks, old avenues, moats full of aquatic plants and stone walls undulating across vast neighbouring fields.

Off the beaten track along winding roads numerous old half-timbered cottages in pretty red, white or yellow colours adorn Funen's many scattered villages. Woods and water mills characterize the lovely undulating landscape of Southern- and Western Funen. From the highest point on Funen, Froebjerg Bavnehoej, 134 metres above sea level there is a magnificent view of the Little Belt and Southern Jutland.

Most impressive and unique among the country houses of Funen is Egeskov Slot, which is included among the best preserved island forts in Europe. It is said to have been erected on a whole forest of oak trunks in 1554. Like no other Danish country house this unique and ornamental castle undoubtedly stirs the imagination. The castle has a museum of vintage cars, vintage motor-bikes, vintage planes and horse-drawn carriages. The adjoining park is a treat of its own with unique mazes and different gardens of great beauty.

Denmark's third largest town, Odense, is full of sights, but the neighbourhood of Hans Christian Andersen's early childhood is internationally famous in a class of its own, tourists from all over the world flock to the museum of the writer of fairy-tales. The neighbourhood itself has been thoroughly redeveloped, the small, low houses have been restored and others have been moved to the area and reconstructed. Thus the atmosphere of the neighbourhood is that of the time of Hans Christian Andersen, but inside the houses, which are much sought after, have been thoroughly modernized.

The archipelago south of Funen, Det Sydfynske Oehav, is unequalled in Denmark: every summer it is an El Dorado for yachting enthusiasts. The old town of Aeroskoebing on Aeroe has often been called the quaintest town in Denmark, the 18th century atmosphere of the low, well-preserved houses and winding streets is original and unchanging. In this corner of Denmark one indeed has the feeling that time has stood still.

Gut im Schutz zwischen Jütland und Seeland gelegen haben wir die schöne üppige Insel Fünen. Der Märchendichter H. C. Andersen nennt mit Recht Fünen »den Garten Dänemarks«. Hier liegen Schlösser und Herrensitze dichter beisammen als nirgendwo anders auf der Welt. Über 150, hauptsächlich auf Südfünen sind noch erhalten. Viele Bauten sind Wasserschlösser, haben schöne Parkanlagen, alte Alleen und eine Menge Steinwälle, die sich durch die großen dazu gehörigen Felder schlängeln.

Auf kleinen gewundenen Wegen weit von öffentlicher Straße erscheinen mehrere ältere Fachwerkhäuser mit schönen roten, weißen oder gelben Farben und schmücken damit die vielen Dörfer Fünens. Südwestfünen ist meistens eine herrliche Hügellandschaft mit kleinen Wäldern und Wassermühlen. Auf der höchsten Erhebung Fünens, Frøbjerg Bavnehøj - 134 Meter - gibt es eine großartige Aussicht über Lille Bælt (Der kleine Belt) bis nach Nordschleswig.

Am imposantesten und ganz einmalig unter den fünischen Wasserburgen ist Egeskov, eines der am besten erhaltenen Schlösser Europas. Wahrscheinlich ist das Schloß etwa 1554 auf Pfählen eines ganzen Eichenwaldes erbaut worden. Das eigenartige und dekorative Schloß appelliert eben wie kein anderer dänischer Herrensitz an die Phantasie. Das Schloß besitzt auch ein Veteranen-Museum, wo man alte Automobile, Motorräder, Kutschen und Flugzeuge zeigt. Die dazu gehörige Parkanlage ist für sich ein Erlebnis. Die verschiedenen Gärten weisen manche Stilarten auf. Man kann sogar auch in einem einmaligen Heckenlabyrinth verschwinden.

Die drittgrößte Stadt Dänemarks, Odense, hat viele Sehenswürdigkeiten. Am berühmtesten und erstklassigsten ist das H. C. Andersen-Viertel, wo sich sein Geburtshaus befindet. Hier treffen sich Touristen der ganzen Welt im alten Haus, das jetzt Museum ist. Das Viertel selbst war früher sanierungsreif, ist aber jetzt wiederhergestellt worden. Kleine Häuser sind auch hierher verlegt und rekonstruiert. Auf diese Weise hat man versucht, auf die Zeit des Dichters die ursprüngliche Atmosphäre zurückzuführen. Das Innere der begehrten Häuser ist aber heute durchaus modernisiert.

Die südfünischen Inseln verkörpern beispiellos »ein Stück Natur von Dänemark«. Sie sind jeden Sommer ein Dorado der Segler. Die alte Handelsstadt Ærøskøbing auf der Insel Ærø ist mit Recht das traulichste Städtchen Dänemarks mit vielen niedrigen und gut erhaltenen Häusern, die unter Denkmalschutz stehen und an das ursprüngliche Straßenbild erinnern. An diesem entlegenen Ort Dänemarks steht seit dem 18. Jahrhundert die Zeit fast still.

Ben protetta fra lo Jutland e la Selandia si trova la fertile isola Fyn (Fionia) che il poeta Hans Christian Andersen giustamente chiamò »il giardino della Danimarca«. Qui ci sono castelli e grandi proprietà fondiarie molto più vicini che non nelle altri parti del Paese, più di 150 sono conservati e si trovano prevalentemente sulla Fionia meridionale. A questi edifici appartengono bellissimi parchi, vecchi viali, fossi con piante acquatiche e lunghi muretti di sassi che serpeggiano sui grandi campi adiacenti.

Lungo le piccole strade contorte lontano dalle grandi strade, spuntano tante vecchie case con intelaiatura di legno, rosse, bianche o gialle e rallegrano i molti paesetti della Fionia. La maggior parte della Fionia meridionale e occidentale è caratterizzata da un paesaggio di colline con boschetti e mulini ad acqua. Dalla cima più alta della Fionia, Frøbjerg Bavnehøj 134 metri sul livello del mare c'è una bella vista su tutto il piccolo Belt fino allo Jutland meridionale.

Fra i castelli della Fionia, il castello di Egeskov è il più fantastico e unico, ed è considerato fra le rocche più ben conservate e si dice che sia stato costruito nel 1554 su fondamenta fatte da un intero bosco di tronchi di quercia. Questo castello straordinario e decorativo parla alla fantasia come nessun altro castello danese. Al castello appartiene anche una collezione di auto, motociclette, carri e aerei antichi. Il parco in se stesso è meraviglioso con molti tipi di giardini e un unico labirinto di siepi.

Odense, la terza città della Danimarca in ordine di grandezza ha molte attrazioni, ma il quartiere attorno alla casa paterna di Hans Christian Andersen è l'attrazione più famosa e di classe internazionale : turisti da tutto il mondo visitano il museo del poeta. Il quartiere è stato sottoposto ad un risanamento profondo, e le casette sono state restaurate e altre sono portate qui e ricostruite. In questo modo si è cercato di creare l'ambiente come ai tempi di Hans Christian Andersen, però internamente le vecchie case sono totalmente modernizzate.

L'arcipelago della Fionia del sud non si può paragonare a nessun altro paesaggio della Danimarca e rappresenta ogni estate un eldorado per i turisti amanti della navigazione. La vecchia città Ærøskøbing è una delle città danesi con più atmosfera, ci sono infatti tantissime basse casette ben conservate nell'ambiente originale con vie tortuose e ancora oggi è quasi come una volta. In questo angolo del Paese, sembra che il tempo si sia fermato al 1700.

H. C. Andersens Hus, Odense △

HANS CHRISTIAN
ANDERSEN
FØDT I ODENSE
2 APRIL 1805

△ ▽ H. C. Andersen Museet, Ode.

Den fynske Landsby, Odense △

▽ Amanda, Kerteminde

▽ Gyldensteen Slot, Bogense

67

68

Svendborgsund △   ▽ Hesselagergård   ▽ Christiansmølle, Svendb

▽ Hesselagerster

70

△ ▽ *Valdemar Slot, Tåsinge*

71

△ Bregninge Kirke, Tåsin

Folkedragter, Tåsinge △

△ ▽ Troense, Tåsin

Fåborg △

▽ Åstrup Mølle

Assen

Kaleko Mølle, Fåborg △

▽ Fåborg

Den gamle Gaard
1720 · 1932

74

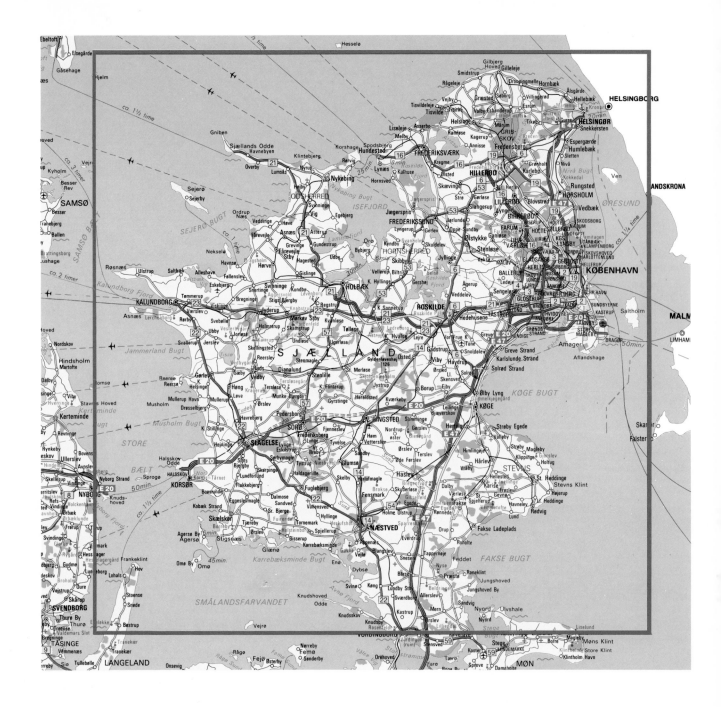

SJÆLLAND

Sjælland er den største af de danske øer grænsende op til Sverige kun afbrudt af det smalle Øresund, der ved Helsingør blot måler 4 km. Store dele af Sjælland består af jævnt bondeland med marker, småskove og få søer. Her er der forholdsvis langt mellem hoteller og campingpladser. Dog finder man et stort sammenhængende sommerhusområde langs Kattegats kønne, bakkede kyst fra Sejerøbugten til Helsingør. Her har københavnerne gennem generationer tilbragt sommeren på de hvide sandstrand og i de små fiskerlejer, der stadig findes bevaret med krogede stræder og stråtækte huse.

Især øst for Roskilde Fjord bliver landskabet mere skovrigt med flere større og mindre søer smukt forgrenet i et kuperet landskab. Flere af skovene var oprindeligt kongelige jagtområder, og i Dyrehaven nord for København holdes stadig en fast bestand af hjortevildt, heraf alene ca. 2000 dådyr.

På Sjælland ligger Danmarks hovedstad København, der med sine 1,5 mill. indbyggere samtidig er landets og Nordens største by. Med sin strategiske beliggenhed i det smalle Øresund opstod her en borg i 1167 anlagt af Absalon. Op igennem middelalderen voksede byen sig snart til at blive kulturelt og handelsmæssigt førende i Norden, og under Chr. d. 4. blev smukke bygningsværker som Rosenborg, Rundetårn og Børsen opført, hvilket var med til at give København hovedstadskarakter.

Talrige brande har desværre gjort det af med katastrofalt mange huse i bymidten. Alligevel kan København i dag fremvise ca. 700 fredede huse, mange særdeles smukt beliggende ned til de gamle voldgrave rundt om regeringsbygningen Christiansborg og på Christianshavn.

Amalienborg Slot blev med sine fire ens rokokopalæer bygget som adelsboliger i 1750'erne, og har siden 1794 været residens for kongehuset. Til daglig holder vagtparaden til på slotspladsen, og ved særlige lejligheder trækker soldaterne op i smukke, røde gallauniformer med fuld musik.

En af de største oplevelser i København er en sommeraften i Tivoli. Overalt ser man smukke blomsteropsatser og imponerende springvand mellem et utal af forlystelser fra smukke koncerter og artistoptræden til radiobiler og rutchebane. I skumringen tændes i tusindvis af kulørte lamper og pryder de mange restauranter og springvand. På bestemte aftener i ugens løb afsluttes med et storslået fyrværkeri.

Zealand, the largest of the Danish islands, is separated from Sweden by the narrow waters of the Sound, which is only 4 kilometres wide at Elsinore. Fields, small woods and few lakes characterize the even country of Zealand. Hotels and camping sites are relatively far apart. However, there is a large continuous area of weekend cottages along the lovely, hilly coast of the Kattegat from Sejeroebugten to Elsinore. For generations Copenhageners have spent the summer here on the white, sandy beaches and in the thatched cottages and winding lanes of the small fishing villages which have survived.

East of Roskilde Fjord in particular the landscape is well-wooded with several large and small lakes branching out beautifully in the undulating country. Several of the woods used to be royal hunting grounds, and at Dyrehaven north of Copenhagen there is still a stock of deer of which about 2,000 are fallow deer.

On Zealand is the capital of Denmark, Copenhagen, which is also the biggest city in the country and in the whole of Scandinavia with 1.5 million inhabitants. In 1167 Absalon built a castle on this strategic spot on the shore of the narrow Sound. In the Middle Ages the town soon became the cultural and commercial centre of Scandinavia, and during the reign of Christian IV the erection of beautiful buildings such as Rosenborg, Rundetaarn (the Round Tower) and Børsen (the Stock Exchange) added a metropolitan character to the town.

Numerous fires unfortunately destroyed a disasterously large number of houses in the centre of the town. Still about 700 protected houses have survived, many of which are beautifully situated overlooking the old moats around Christiansborg and at Christianshavn.

The four identical rococo palaces of Amalienborg Slot were erected as mansions for the aristocracy in the 1750s, since 1794 it has been the residence of the royal family. The changing of the guard is daily seen at the palace square, and on special occasions the guard is wearing beautiful, red full-dress uniforms and the band is playing.

A summer evening in the Tivoli Gardens is one the biggest treats that Copenhagen offers. Everywhere there are beautiful flower arrangements and impressive fountains as well as numerous entertainments ranging from wonderful concerts and artist numbers to bumper cars and switchback. At dusk thousands of fairy lights illuminate the many restaurants and fountains. On certain nights during the week the evening ends with a magnificient display of fireworks.

Seeland ist die größte dänische Insel. Zwischen Seeland und Schweden befindet sich das schmale Gewässer Øresund, der bei Helsingør nur 4 km breit ist. Große Teile von Seeland bestehen aus ebenem Ackerland mit Feldern, kleinen Wäldern und wenigen Seen. Der Abstand zwischen Gasthäusern und Campingplätzen ist verhältnismäßig groß. Zwar findet man an der schönen hügeligen Küste des Kattegats zwischen der Sejerøbucht und Helsingør ein großes geschlossens Sommerhausgebiet. Hier verbringen seit Generationen die Kopenhagener den Sommer an den weißen Sandstränden und in den kleinen Fischerdörfern, die noch mit winkligen Gassen und strohgedeckten Häusern erhalten sind.

Östlich von Roskilde Fjord wird die Landschaft waldiger mit mehreren größeren und kleineren Seen, die sich in einem kupierten Gelände schön verzweigen. Viele Wälder waren ursprünglich königliche Jagdreviere, und das Tierpark Dyrehaven nördlich von Kopenhagen besitzt noch einen ständigen Hirschwildbestand, hiervon allein 2000 Stück Damwild.

Auf Seeland ist Dänemarks Hauptstadt Kopenhagen gelegen. Mit einer Einwohnerzahl von 1.5 Millionen ist die Stadt gleichzeitig die größte in Dänemark und Skandinavien.

Wegen seiner strategischen Lage am schmalen Øresund entstand hier 1167 eine Burg von Absalon angelegt. Im Laufe des Mittelalters wuchs die Stadt bald zum führenden Kultur- und Handelszentrum Skandinaviens, und unter der Regierung Christians IV. wurde schöne Bauten wie Rosenborg, Runde-tårn, (Der Runde Turm) und Børsen (Die Börse) aufgeführt, welches Kopenhagen den ausgeprägten Charakter einer Hauptstadt gab.

Zahlreiche Brände haben leider katastrophal viele Häuser im Stadtkern vernichtet. Dennoch kann Kopenhagen heute etwa 700 Häuser unter Denkmalschutz aufweisen und viele besonders schön gelegen an den alten Stadtgräben um den Regierungssitz Christiansborg und auf Christianshavn.

Schloß Amalienborg, seit 1794 die Residenz der Monarchen, wurde in den Jahren 1749-60 erbaut. Das Schloß besteht aus 4 gleichen Rokokopalais, und die 4 Gebäude gehörten ursprünglich Personen des Adels. Täglich um 12 Uhr findet die Wachablösung der königlichen Garde auf dem Schloßplatz statt. Bei speziellen Gelegenheiten wird die Wachablösung mit Musik und in schönen roten Galauniformen durchgeführt.

Das größte Erlebnis in Kopenhagen ist vielleict der Tivoli-Besuch. Tivoli ist ein Sommervergnügungspark, und überall sieht man unter einer verschwenderischen Fülle der Vergnügungen von Autoscootern bis zur Achterbahn schöne Blumenanlagen und Springbrunnen. Jeden Abend spielt das Konzertsaalorchester und oft mit internationalen Solisten. Auf der Freilichtbühne treten z.B. die Tivoli-Garde (eine Knabenkapelle) und Artisten auf.

In der Abenddämmerung werden Tausende von bunten Lämpchen angemacht und schmücken die vielen Restaurants und Springbrunnen. An gewissen Tagen der Woche endet der Abend um 23.45 Uhr mit einem großen Feuerwerk.

La Selandia è l'isola danese più grande situata vicino alla Svezia da cui è separata soltanto dallo stretto di Øresund, che all'altezza di Helsingør misura soltanto 4 km. La maggior parte del territorio della Selandia è costituita da campi coltivati, piccoli boschi e laghi. Ci sono relativamente grandi distanze fra alberghi e campeggi. Esiste però una vasta zona di casette estive lungo la bella e ondulata costa del Kattegat che parte dal golfo di Sejerø fino a Helsingør. Qui tante generazioni di copenaghesi passano da sempre l'estate sulle bianche spiagge e nei piccoli centri di pescatori con vicoli sinuosi e case con tetti di paglia.

In particolare a est del fiordo di Roskilde il paesaggio diventa più ricco di boschi con laghi piccoli e grandi che si ramificano armoniosamente in un paesaggio ondulato. Tanti boschi erano originariamente riserve reali di caccia e nel Dyrehaven (parco dei daini) a nord di Copenaghen c'è ancora una mandria stabile di cervidi, di cui 2000 capi sono esclusivamente daini. La Selandia è sede della capitale del paese. Copenaghen, che inoltre, con i suoi 1,5 milioni di abitanti, è la città più grande della Scandinavia. A causa della posizione strategica della città, nello stretto di Øresund, Absalon nel 1167 vi eresse un castello. Durante il medioevo la città si espanse fino a quasi diventare il centro principale sia culturale che commerciale del Nordeuropa, e sotto il regno di Cristiano IV furono costruite raffinate opere architettoniche come il castello di Rosenborg, la Torre Rotonda (Rundetårn) e il palazzo delle Borsa (Børsen), il che diede alla città il carattere di capitale.

Purtroppo numerosi incendi, hanno apportato notevoli danni agli edifici nel centro città. Copenaghen può tuttavia oggi mostrare circa 700 case sotto la sovrintendenza delle belle arti, un considerevole numero di queste costruzioni hanno un'ubicazione bellissima lungo il vecchio fosso di cinta del palazzo del governo, Christiansborg e la zona portuale di Christianshavn.

Il castello di Amalienborg con i suoi quattro edifici uguali in stile rococò fu costruito nel 1750 come residenza aristocratica e fin dal 1794 è residenza della famiglia reale. Sulla piazza del palazzo ha luogo giornalmente il cambio della guardia e in particolari occasioni il corpo di guardia accompagnato dalla banda sfoggia belle uniformi rosse di galla.

Una serata estiva nel parco di divertimento del Tivoli, è un' incantevole esperienza. Si vedono dappertutto composizioni di fiori e belle fontane e i divertimentii sono numerosi: concerti, spettacoli di artisti, autoscontri e montagne russe. All' imbrunire si accendono mille luci colorate che rallegrano i tanti ristoranti e le fontane. Alcune sere della settimana le serate al Tivoli si concludono con magnifici fuochi di artificio.

Odden Kirke, Sjællands Odde △

△ *Bregentved, Has*

...setårnet, Vordingborg △   △ Garderhusarerne, Næstved   ▽ Postbud ved Sædder Kirke

△ △ ▽ *Roskilde Domk*

...borg Slot, Helsingør △ ▽

▽ Holger Danske, Kronborg

▽ Stokrose, Helsingør

81

Frederiksborg Slot, Hillerød △ ▽ ▽

Frederiks Kirke, København

n lille Havfrue △   ▽ Rådhuspladsen   ▽ Frederiksholms Kanal

▽ Rundetårn

87

Gefionspringvandet △

△ *Christianshavns Kanal*

Amaliehaven △

△ ▽ *Nyhavn, København*   *Tivoli, København*

88

△ ▽ ▽ Tivoli, Købenna

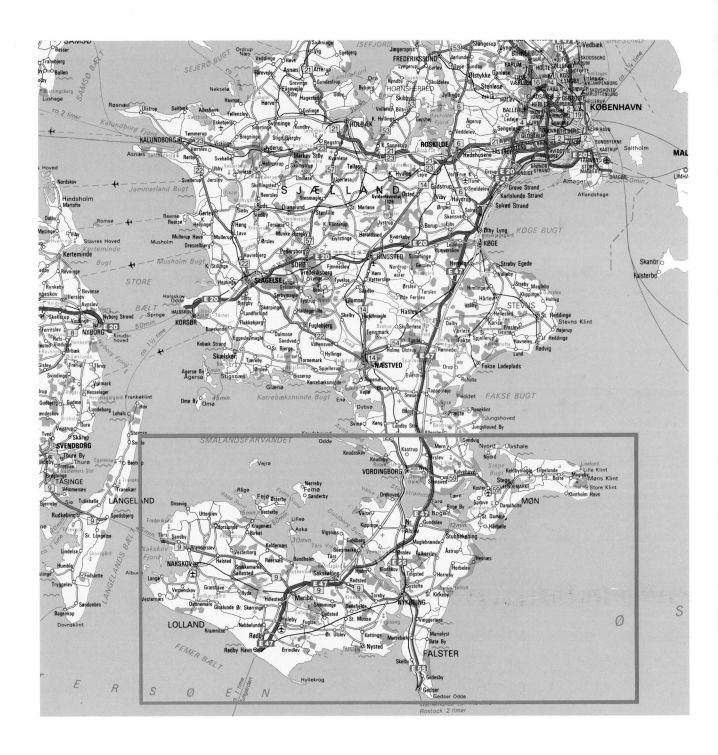

LOLLAND, FALSTER OG MØN

Store flade landskaber med frodige roemarker præger de sydligste øer i Danmark. Således er Lollands højeste punkt bare 30 meter, mens store dele af sydkysten ligger under havets overflade godt beskyttet af et 60 km langt dige. Omkring Maribo ligger et smukt fredet søområde med gammel løvskov og et par stilfulde herregårde fra 1800-tallet.

Nysted er Danmarks sydligste og en af de mindste købstæder med sine blot 1300 indbyggere. Alligevel er området stærkt besøgt, da Ålholm Slot er en af Lollands to hovedattraktioner. Udefra syner det ca. 700 år gamle slot ikke af så meget, godt indhyllet i gamle træer, men det storslåede interiør er ganske imponerende. Ved siden af slottet ligger Ålholm Automobilmuseum, der rummer over 200 køretøjer fra perioden 1896-1939. Desuden er der et herligt damptog fra 1850, der kører turisterne fra slottet ned til Østersøen.

Den store familieoplevelse venter i Knuthenborg Safaripark, hvor man ad ca. 10 km bilvej kører imellem alverdens eksotiske dyr fra næsehorn og giraffer til strudse og nysgerrige æsler. Det store gys venter i et særligt indhegnet område, hvor man fra sin bil med oprullede vinduer kan iagttage en flok tigre.

Langs hele Sydfalsters østkyst ligger Østdanmarks fineste badestrand, der strækker sig næsten ned til Danmarks sydligste punkt Gedser Odde. Længere oppe ad østkysten strækker der sig 15 km sammenhængende kystskov, hvor skovbrynet flere steder når helt ud til de stejle strandskrænter. I Hesnæs by er næsten alle husene beklædt med stråmåtter på murene, hvilket tidligere var en gammel tradition på Falster.

Møn afviger fra resten af Danmark ved sit enestående 8 km lange kridtfjeld Møns Klint. Her møder man det mest særprægede stykke natur i Danmark. Langs klintens kant bugter skovstierne sig forbi tinder og fald, hvor det ene smukke klintemotiv afløser det næste. Fra udsigtpunkterne oplever man synet af den svimlende afgrund, hvor Østersøen dybt nede mageløs i sit blågrønne farvespil, danner en betagende kontrast til det hvide kridt og de grønne bøgetræer.

Beet growing and flat ground characterize the southernmost islands of Denmark. Thus the highest point on Lolland is only 30 metres above sea level, while large areas along the south coast are below sea level well-proctected by 60 kilometres of dikes. A couple of elegant 19th century country houses stand close to Maribo where the old deciduous lake district has been designated as an area of outstanding natural beauty.

Only about 1300 hundred people live at Nysted which is one of the smallest market towns in Denmark and the one furthest to the south. Many tourists visit the area, however, as Aalholm Slot is one of the two main attractions on Lolland. The 700-year-old castle well hidden by old trees doesn't look much from the outside, but the magnificent furnishings are most impressive. Beside the castle is the motor-car museum which has more than 200 vehicles from the period 1896 to 1939. Furthermore there is a splendid steam train which runs the tourists from the castle to the Baltic.

The great family treat awaits you at Knuthenborg Safaripark, where for about 10 kilometres you drive among all sorts of exotic animals from rhinos and giraffes to ostriches and nosy donkeys. The big thrill is in store for you in a specially fenced corner where it is possible to watch a group of tigers from behind the safely closed windows of your car. Along the east coast of Southern Falster are the finest beaches in Eastern Denmark, they spread almost to the southernmost point of Denmark, Gedser Odde. Farther north along the east coast 15 kilometres are covered by woods sloping right down to steep cliffs in places. In the village of Hesnaes almost all the walls of the houses are covered with straw mats according to the traditional practice of the island.

8 kilometres of chalk cliff make Moen stand out from the rest of Denmark. The unique scenery of Moen's Klint is found nowhere else. Along the edges of the cliff woodland paths wind past peaks and hollows while one beautiful view of the cliff replaces another. From several vantage points there is breathtaking view of the magnificent play of the blue-green Baltic deep below in emphatic and exquisite contrast to the white chalk of the cliffs.

Große flache Gelände mit üppigen Rübenfeldern kennzeichnen die südlichsten Inseln Dänemarks. So ist die höchste Erhebung Lollands nur 30 Meter, während sich große Teile der Südküste unter dem Meeresspiegel befinden - und von einem 60 km langen Deich gut geschützt. Rund um Maribo ist ein schönes Seenaturschutzgebiet mit altem Laubwald. Ein paar alte stilvolle Herrensitze aus dem 19. Jahrhundert sind auch hier gelegen.

Nysted ist die südlichste Stadt Dänemarks und eine der kleinsten mit Stadtrechten. 1300 Einwohner. Dennoch hat die Gegend viele Besucher, da Schloß Ålholm eine der beiden Haupattraktionen Lollands ist. Von außen sieht das etwa 700 Jahre alte Schloß von alten Bäumen umhüllt nicht bemerkenswert aus. Die Gemächer des Schlosses sind aber imposant. Neben dem Schloß ist ein Automobilmuseum eingerichtet. Über 200 Fahrzeuge aus der Zeit 1896-1939 befinden sich hier. Außerdem fährt eine kleine Dampfeisenbahn die Touristen zwischen Schloßpark und Küste.

Das große Familienerlebnis wartet im Natur- und Safaripark Knuthenborg, wo man auf einer 10 km langen Autostraße unter zahlreichen exotischen Tieren fährt. Hier sind u.a. Nashörner, Giraffen, Strauße und neugierige Esel. Der große Schauer wartet in einem umzäunten Gebiet, wo man vom Auto aus durch die geöffneten Fenster eine Menge Tiger beobachten kann.

An der ganzen Ostküste Südfalsters entlang gibt es den feinsten Badestrand Ostdänemarks. Er erstreckt sich nach Süden bis zum südlichsten Punkt Dänemarks, Gedser Landspitze. Weiter oben an der Ostküste erstreckt sich 15 km geschlossener Küstenwald, wo an mehreren Orten der Waldrand die Strandsteilhänge erreicht. Im Dorf Hesnæs sind fast alle Hausmauern mit Strohmatten versehen. Eine alte Sitte auf Falster.

Die Insel Møn weicht vom übrigen Dänemark ab durch die einzigartige 8 km lange Kreidefelsenküste Møns Klint. Eine Natur ganz eigener Art in Dänemark. Am Rand des Kreidefelsens schlängeln sich die Waldwege an Gipfeln und Schrägen vorbei. Hier wechseln sich jeden Augenblick die schönen Motive ab. Von den Aussichtsstellen aus erlebt man den Anblick des schwindelnden Abgrundes, wo die Ostsee tief unten mit ihrem blau-grünen Farbenspiel zur weißen Kreide und den grünen Buchen einen reizenden Gegensatz bildet.

Le isole meridionali della Danimarca sono caratterizzate da vasti paesaggi con fertili rapai. Il punto più alto della regione, Lolland è infatti solo di 30 metri, mentre grandi parti della costa meridionale è addirittura sotto il livello del mare ed è quindi ben protetta da una lunga diga di 60 km. Intorno a Maribo c'è una zona di laghi protetta e un vecchio bosco di alberi a foglie caduche e un paio di eleganti castelli dell'1800.

Nysted è la città più a sud del Paese e una delle città più piccole con solo 1300 abitanti. Nonostante questo la zona viene molto visitata, in quanto il castello Ålholm è una delle attrazioni principali della Lolland. Dall'esterno, l'antico castello costruito 700 anni fa, non sembra gran che, perchè è nascosto da vecchi alberi, ma l'interno è piuttosto maestoso.

Accanto al castello si trova il museo delle vecchie auto con oltre 200 automobili del periodo 1896-1939. In più c'è un magnifico trenino a vapore che porta i turisti dal castello al Mar Baltico.

Una grande esperienza per tutta la famiglia attende i turisti al parco safari di Knuthenborg, dove per una stradina di circa 10 km si può andare in macchina a vedere animali esotici provenienti da tutto il mondo; ci sono infatti rinoceronti, giraffe, struzzi e asini curiosi. Un grande brivido aspetta in una zona recintata, dove in auto si può osservare un gruppo di tigri. Lungo tutto la costa orientale del Falster meridionale c'è la spiaggia più bella del Paese e si allunga quasi fino al punto più a sud della Danimarca, Gedser Odde. Più in sù lungo la costa orientale c'è un bosco costiero di 15 km, e i margini del bosco arrivano in più parti fino ai ripidi versanti della spiaggia. Nella città Hesnæs quasi tutti i muri delle case sono coperti di stuoia, una antica tradizione di questa regione.

La regione di Møn si distingue dal resto del Paese con la sua unica scogliera di gesso lunga 8 km. Qui infatti si vede il paesaggio più straordinario del Paese. Lungo l'orlo della scogliera serpeggiano i sentieri nel bosco accanto a vertici e pendenze, dove un bel motivo di scogliere segue l'altro. Dai punti di vedetta si vedono vertiginosi abissi, dove il Mar Baltico la giù in basso con un gioco di colori turchini verdi crea un incantevole contrasto al gesso bianco e ai verdi faggi.

Farøbroen △

Fanefjord Kirke, Møn ▽

▽ Keldby Kirke, Møn

Møns Klin

94

Liselund Slot, Møn △

▽ Schweizerhytten, Møn

▽ Sømarkedyssen, M

96

Bjørnebrønden, Nykøbing F. △

Stouby Mølle, Marielyst △

▽ Mølleporten, Stege

97

Vandtårnet, Sakskøbing ▽   ▽ Veterantog, Nysted   Gedser Fy

▽ Naks

△ ▽ Ålholm Slot, Nysted

99

△ ▽ Knuthenborg Safari Park, Ma

△ ▽ ▽ Knuthenborg Safari Park, Maribo

BORNHOLM

Langt ude i Østersøen midt imellem Sverige og Polen ligger Bornholm som den østligste af de større danske øer næsten 150 km fra resten af Danmark. Netop Bornholm adskiller sig væsentligt fra den øvrige del af landet ved sin særprægede natur og eget vejr. Man taler om solskinsøen Bornholm med den rene luft og sit klare lys. Herover springer træerne ud en uge senere og foråret er ofte køligt og tåget på grund af den kolde Østersø. Til gengæld er sensommeren varm og mild længere end i resten af Danmark.

Med færgeforbindelse til tre lande er der let adgang for turisterne til »Østersøens Perle«. Her står stejle klippekyster mod vest og nord i skarp kontrast til den flade sandstrand med hvide klitter på sydkysten, men rundt omkring på hele øen stikker grundfjeldet frem som store klippeblokke, i øvrigt det eneste sted i Danmark.

Blandt de mest imponerende klippepartier er Jons Kapel, som er en 40 meter høj, fritstående kystklippe. Her boede ifølge sagnet en munk ved navn Jon, som dagligt prædikede fra en klippeafsats. Længere oppe ad vestkysten ligger en af Bornholms største seværdigheder Hammershus, som efter en 500 år lang, glorværdig periode fra 1255 efterhånden endte som en ruin. Borganlægget er ganske stort og dækker et areal på ca. 3500 m². Foruden mange hundrede meter ringmure i op til 9 meters højde er et par tårne delvist bevaret.

Som noget specielt for Bornholm finder man de særprægede rundkirker fra 1100-tallet, der med sine metertykke mure delvist fungerede som middelalderlige fæstningsværker.

Fiskeriet er Bornholms store erhverv og har gjort øen kendt viden om med sine lækre røgede sild og laks. Rundt omkring ses de karakteristiske røgerier, hvor fiskene på rad og række bliver varmet over elletræets gløder.

På øens midte ligger den 25 km² store skov Almindingen, som er Danmarks 3. største skov. Damme og småsøer afveksler med dybe slugter i en enestående atmosfære, som gør området til et af landets absolut smukkeste. Fra udsigtstårnet på øens højeste top Rytterknægten 162 meter over havniveau er der i klart vejr en pragtfuld udsigt over det meste af øen.

Christiansø, hovedøen i Danmarks østligste øgruppe Ertholmene, er en oplevelse i sig selv. Den lille fæstningsø havde stor betydning i 1600 og 1700-tallet, men i dag tjener de gamle forsvarsmure og fæstningstårne kun turisternes interesse.

Bornholm, the easternmost of the major Danish islands, is situated in the Baltic between Sweden and Poland almost 150 kilometres from Denmark. The landscape is unlike any other Danish landscape and the weather differs radically from the weather in the rest of the country. The sunny island of Bornholm is known for its clean air and clear light. The trees come into leaf one week later than in the rest of the country and spring is often chilly and misty because of the coldness of the Baltic. Late summer, on the other hand, is warmer and milder than it is in other parts of the country.

Ferry services to three countries make it easy for tourists to visit "the Gem of the Baltic". Steep cliff coasts to the west and the north contrast sharply with flat sandy beaches and white dunes on the south coast, while Bornholm is the only place in Denmark where boulders of bedrock jut out everywhere.

One of the most impressive cliffs on the coast is known as Jons Kapel. Tradition says that the 40-metre-high cliff was inhabited by a monk called Jon who delivered daily sermons from a ledge. Farther along the coastal road is one the greatest sights of Bornholm, the ruined castle of Hammershus, which gradually fell into decay after a glorious history of 500 years dating back to the year 1255. The castle, which is quite large,

covers an area of about 3,500 square kilometres. Besides the many hundred metres of ring walls of up to 9 metres a couple of towers remain in part.

Round churches from the 12th century occur on Bornholm only. They also performed the function of medieval fortifications which their thick walls testify to.

Fishing is the main industry on Bornholm, which is known far and wide for its delicious smoked herring and salmon. At the characteristic smokehouses scattered across the island rows of fish are smoked over glowing alderwood.

An area of 25 kilometres on the middle of the island is covered by the forest of Almindingen, the third largest forest in Denmark. Ponds and little lakes alternating with deep ravines create one of the most beautiful landscapes in the country. From the tower on top of the highest point of the island, Rytterknægten, 162 metres above sea level there is a wonderful view of most of the island on a clear day.

Christiansoe, the main island of Denmark's easternmost group of islands, Ertholmene, is well worth a visit. The fortifications of the small island were of great importance in the 17- and 18th centuries, but today the old fortress walls only matter to the tourists.

Mitten in der Ostsee zwischen Schweden und Polen gelegen haben wir Bornholm, die östlichste größere dänische Insel etwa 150 km von Dänemark entfernt. Bornholm unterscheidet sich eben vom übrigen Land durch eigenartige Natur und eigenes Wetter. Bornholm ist die Insel des Sonnenscheins mit reiner Luft und hellem Licht.

Hier schlagen die Bäume eine Woche später aus, und der Frühling ist oft kühl und neblig wegen der kalten Ostsee. Dafür ist der Spätsommer wärmer und milder als im übrigen Dänemark.

Mit Fährverbindungen zu drei Ländern ist der Zugang der Touristen nach Bornholm leicht. Man nennt die Insel »die Perle der Ostsee«. Steile Felsenküste nach Westen und Norden stehen im Gegensatz zum flachen Sandstrand mit weißen Dünen im Süden. Überall sieht man das Urgebirge, große Felsblöcke wie nirgendwo in Dänemark.

Am interessantesten ist aber »Jons Kapel« mit bizarren Felsbildungen und Grotten. Der alten Sage nach predigte täglich ein alter Mönch Jon hier auf dem Felsen. Weiter nördlich an der Westküste ist Hammershus gelegen, die größte Festung Nordeuropas. Eine Sehenswürdigkeit. Die große Burg um 1255 erbaut endete nach einer langen glorreichen Periode allmählich als Ruine. 1822 wurden die Reste unter Denkmalschutz gestellt. Die Burganlage ist ganz groß und umfaßt eine Fläche von 3500 m². Außer der 470 Meter langen und 9 Meter

hohen Ringmauer sind noch einige Türme zum Teil erhalten; z.B. der Mantelturm.

Ganz speziell für Bornholm sind aus dem 12. Jahrhundert die charakteristischen Rundkirchen, die im Mittelalter mit ihren meterdicken Mauern auch eine Schutz- und Verteidigungsfunktion hatten.

Die Fischerei ist der große Erwerb Bornholms. Sie hat weit in der Welt mit leckeren Räucherwaren die Insel bekannt gemacht. Besonders Bücklinge und Lachs sind nennenswert. An mehreren Orten sieht man die charakteristischen Räuchereien, wo die Fische in Reih und Glied auf große Gestelle zum Räuchern gehängt werden. Das Heizmaterial ist Erlenholz.

Mitten auf der Insel liegt der 25 km² große Wald Almindingen, der drittgrößte in Dänemark. Teiche, kleine Seen und tiefe Schluchten wechseln hier ab. Die Natur ist hier ganz einmalig, und Almindingen gehört durchaus zu einem der schönsten dänischen Gebiete. Die höchste Erhebung der Insel ist Rytterknægten, 162 meter. Vom Aussichtsturm hat man bei heiterem Wetter einen prachtvollen Blick auf den größten Teil der Insel.

Christiansø, die größte Insel der östlichsten dänischen Inselgruppe Ertholmene ist für sich ein Erlebnis. Die kleine Festungsinsel hatte im 17. und 18. Jahrhundert große Bedeutung. Heute dienen aber die alten Schutzmauern und Festungstürme nur zum Interesse der Touristen.

Nel Mar Baltico a metà strada fra la Svezia e la Polonia c'è l'isola di Bornholm, la parte più meridionale delle isole danesi che dista 150 km dal resto della Danimarca. Proprio l'isola di Bornholm si differenzia essenzialmente dal resto del paese con il suo paesaggio particolare e clima tutto suo. Si parla dell'isola del sole con aria pulita e luce luminosa. Qui gli alberi fioriscono con una settimana di ritardo e la primavera è spesso fresca e nebbiosa a causa del freddo Mar Baltico. In compenso la tarda estate è calda e mite più a lungo che non nel resto della Danimarca.

I traghetti collegano l'isola di Bornholm a tre diversi nazioni, quindi c'è facile accesso alla »perla del Mar Baltico«. Ripide scogliere a ovest e a nord sono in netto contrasto con la piatta spiaggia con le dune bianche sulla costa del sud, ma in tutta l'isola spuntano masse rocciose che sono uniche in Danimarca.

Fra le formazioni di rocce più maestose abbiamo la Jons Kapel, che è una scogliera a sè stante. Secondo la leggenda qui ci abitava un monaco chiamato Jon, che predicava ogni giorno dalla montagna. Più in sù della costa occidentale c'è una delle attrazioni più importanti di Bornholm, Hammershus, le rovine di una fortezza, che dopo un lungo periodo glorioso di 500 anni dal 1255 col tempo decadde.

La fortezza è grande e copre una area di 3500 m². Oltre a parecchie centinaia di metri di mura di cinta alte fino a 9 metri ci sono due torri parzialmente conservate.

Una cosa speciale dell'isola di Bornholm sono le caratteristiche chiese rotonde del 1100 che con le loro mura di un metro di spessore sono state usufruite come fortezza nel medievo. La pesca è una grossa occupazione a Bornholm e ha reso famosa l'isola per le sue deliziose arringhe affumicate e i salmoni. In giro si vedono i caratteristici affumicati, dove grandi quantità di pesce vengono affumicate su bracci di ontano. Al centro dell'isola si trova il bosco di Almindingen di 25 km² che è il terzo bosco della Danimarca in ordine di grandezza. Stagni e laghetti si alternano con profonde gole in una atmosfera unica che rende la zona una delle più belle del Paese. Dalla torre di vedetta sulla parte più alta dell'isola, Rytterknægten, 162 metri sul livello del mare, c'è un meraviglioso panorama sulla maggior parte dell'isola.

Christiansø, l'isola principale del gruppo più orientale delle isole danesi, chiamato Ertholmene, è un'esperienza a sè.

La piccola isola fortezza ebbe grande importanza nel 1600 e 1700, ma oggi le vecchie mura e bastioni hanno solo interesse turistico.

Kamelhovederne, Hammeren △

Gudhjem △   ▽ *Østerlars Kirke*   *Slotslyngen, Hammershu.*

Svaneke △

△ Gudhjem　　　▽ Neksø　　　Jons Kapel, Van

△ Bornh